COC

COCH YW LLIW HUNLLEF

Mair Wynn Hughes

GOMER

Argraffiad cyntaf—Tachwedd 1995

ISBN 1 85902 231 6

Cyhoeddwyd dan gynllun comisiynu Cyngor Llyfrau Cymru.

Dymuna'r cyhoeddwyr gydnabod cymorth
Cyngor Llyfrau Cymru.

Argraffwyd gan
Wasg Gomer, Llandysul, Dyfed

1

'Cachgi!'

'Mentra hi, Stwmp!'

'Rŵan!'

Atseiniodd y lleisiau croch yn ei glustiau wrth iddo oedi ar ochr y draffordd. Roedd ei goesau fel jeli a'i gyhyrau'n glymau chwithig anystwyth wrth iddo geisio'i orfodi'i hun i redeg . . . i fentro . . . i daflu ei ofnau i'r gwynt.

Sbonciodd y chwys oer ar ei groen wrth i'r traffig daranu heibio. Petai ond dwy lôn ochr yn ochr, fe fentrai, fe'i perswadiodd ei hun. Ond . . . tair!

Llyncodd boer ansicr wrth i'r lleisiau godi'n gorws y tu ôl iddo.

'Mentra!'

'Mentra!'

'MENTRA!'

Stwffiodd ei law yn nerfus i'w boced ac edrychodd i fyny ar yr eneth a safai'n feirniadol ar y bont uwchben. Sandra. Fe wyddai ei bod hi'n gacwn am iddo fentro'r sialens.

'Ffŵl wyt ti'n gwrando arnyn nhw, Meical,' dywedodd yn filain y pnawn hwnnw. 'Mi ddeuda i wrthyn nhw gartre, os gwnei di. Callia, wnei di?'

Ond doedd o ddim am wrando ar Sandra er ei bod hi'n llyschwaer iddo. Llyschwaer a fu'n ddim ond draenen o dan groen ers i'w fam ailbriodi. Byseddodd y gyllell gafodd o gan ei daid wrth iddo droi unwaith eto i wynebu'r draffordd. Efallai y deuai hi â lwc iddo. Efallai.

'Mentra'r penci!'

Roedd yn rhaid iddo ufuddhau. Dyma'i unig gyfle i ymuno â'r gang. Fyddai yna ddim cyfle arall. Y prawf yma a agorai'r drws iddo. Y ras iâr! Ac roedd o bron â thorri'i fol eisio bod yn un ohonyn *nhw*, er mwyn dangos i Sandra. Yn un o'r gang a ymwthiai'n ymffrostgar ar hyd coridorau a iard yr ysgol heb falio am neb na dim, gan adael y merched yn griw addolgar wrth eu sodlau.

'Babi mam!'

Llais Mastiff. Gwasgodd Stwmp ei fysedd i gledr ei law wrth ei glywed. Ofnai'r dirmyg a fyddai ar wyneb arweinydd y gang petai'n troi i edrych arno. Y fo, Stwmp . . . Meical Llwyd i'w fam a'i lysdad a Sandra, eisio bod yn y gang! Gwiriondeb llwyr, fe wyddai hynny o'r dechrau. Ond, rywsut, fedrai o ddim peidio â gobeithio.

Gwenu'n bryfoclyd ddaru Mastiff pan ddeallodd.

'Wedi rhoi'r gorau i sugno'r botel eto?' holodd pan ddaeth Stwmp ato yn ystod yr awr ginio.

Llyncodd yntau'i boer a gwenu'n salw. Efallai, os dioddefai'n ddistaw, y câi ei dderbyn ganddynt. Ond roedd Mastiff yn cael hwyl ardderchog.

'Wedi gadael dy glytiau?'

Trodd i edrych ar y genethod a safai yn ymyl.

'Dim angen sychu'i din o rŵan, genod.'

Lledaenodd chwerthin isel.

'Wedi tyfu'n ddyn, wyt?' holodd wedyn gan gydio'n sydyn boenus yn ei fraich.

Brathodd yntau ei wefus a'r siom yn llenwi'i

lygaid. Gwenodd Mastiff yn fodlon a thynhaodd ei afael, nes y teimlai Stwmp fod ei fraich yn torri'n ddwy.

'Wel . . . mi gei brofi dy hun, mêt.'

Saethodd diferion poer o'i geg wrth i'w wyneb ymwthio'n nes ac yn nes.

'Heno . . . ar ôl yr ysgol. Wrth bont y drafforddd,' awgrymodd yn isel yn ei glust. 'Mi gawn ni weld faint o ddyn wyt ti . . . mêt.'

Gollyngodd ei fraich a throi at ei gynulleidfa'n ymffrostgar.

'Y fi sy'n penderfynu'r sialens, bois.'

Ac er ei fod yntau, Stwmp, bron â llenwi'i drywsus gan ofn, fe wyddai na allai fforddio gwrthod y sialens, beth bynnag fyddai.

A rŵan, dyma fo'n wynebu'r sialens honno, ac yn methu â'i chyflawni.

'Cachgi ddiawl!'

Roedd yn rhaid iddo fentro.

'Ras iâr!'

'Ras iâr!'

'RAS IÂR!'

Drymiodd y corws yn ddidrugaredd yn ei glustiau.

'Y llebog. Fentrith o byth!'

Roedd yn gas ganddo'r lleisiau a'r wynebau dirmygus. Fe gasâi pob un o'r gang hefo casineb a orweddai'n lwmpyn caled y tu mewn iddo. Ond roedd o eisio bod yn un ohonyn nhw. Eisio perthyn i'r cylch cyfrin, beth bynnag fyddai'r gost. Plygodd yn ansicr i ailglymu'i drênyrs.

'Rhaid!'

'Rhaid!'

'Rhaid!'

Nid y nhw ond y fo a ddrymiai'r geiriau i'w glustiau. RHAID!

Caeodd ei lygaid am eiliad cyn ei daflu'i hun rywsut rywsut i ganol y traffig. Roedd roced yn ei sodlau wrth iddo wibio'n orffwyll ar draws y ffordd. Drybowndiai ei galon fel y carlamai ei goesau, a'r adrenalin a'r ofn yn eu pwmpio'n gynt ac yn gynt. O mam! Roedd arno ofn.

Lorri! Car! Car! Bws! A'r rheiny i gyd yn eu hyrddio eu hunain amdano. Roedd ei glustiau'n llawn o synau cyrn a sgrialu teiars. Ond roedd ffawd o'i blaid ac yntau'n cyrraedd y barier canol yn ddiogel. Lledaenodd gorfoledd trwy'i gorff. Fe dderbyniodd y sialens . . . ac fe lwyddodd.

'HAI!'

Gwaeddodd ei fodlonrwydd i'r byd. Doedd dim ots am yr anadl llafurus a losgai yn ei ysgyfaint, na'r pwl o besychu a ddaeth trosto wrth iddo droi i wynebu'r criw yr ochr draw. Dim ots am wawd ei lysenw bellach. Stwmp! Am ei fod o'n fychan. Yn llai na nhw i gyd, er ei fod o'n dair ar ddeg oed. Titsh! Stwmp! Chwannen! Pa ots? Fe deimlai'n gawr, yn barod i herio'r byd.

Trodd i edrych ar Sandra, a chwifiodd ei law arni. Ond ni ddaeth unrhyw arwydd ganddi'n ôl. Blydi snob. Dim ots. Fe lwyddodd. Edrychodd i gyfeiriad y gang. Roedd o'n un ohonyn nhw bellach. Yn gyflawn aelod. Sgwariodd ei ysgwyddau tenau fel yr ymlaciodd yn ei wrhydri.

Ond pam roedden nhw'n chwifio'u breichiau ac yn amneidio mor wyllt arno? Fedrai o ddim clywed eu geiriau ond . . . Dechreuodd ei goesau grynu. Doedden nhw erioed yn disgwyl . . .? Na. Na. Gwrthodai ei ymennydd dderbyn y fath beth ofnadwy. Mentro eto?

Dringodd y cryndod yn don trwy'i gorff wrth iddo ddeall o'r diwedd. Doedd o ddim wedi gorffen. Roedd yn rhaid iddo redeg yn ôl hefyd. Dyna ffŵl fuo fo na fyddai wedi sylweddoli. Doedd yna'r un ffordd arall i ddychwelyd. A dyna a fynnai'r cegau agored a'r breichiau gwyllt yr ochr draw ganddo.

Aeth yn laddar o chwys. Fedrai o ddim wynebu'r ras yn ôl. Ond fedrai o ddim wynebu methu chwaith, a bod yn destun sbort. Doedd hanner y sialens ddim yn ddigon.

Safodd ar yr ymyl yn gwasgu ac ailwasgu ei ddyrnau. Rŵan? Na. Petrusodd ac ailbetruso, a dwndwr y traffig yn ei glustiau. Ceisiodd feddwl yn glir a phwyso a mesur cyflymdra'r traffig. Roedd yn rhaid iddo ddisgwyl am fwlch. Jest ddigon iddo'i hyrddio ei hun ar draws a chyrraedd diogelwch yr ochr draw, a chymeradwyaeth y criw a ddisgwyliai amdano.

Cynyddodd ystumiau a chwifio dwylo'r gang. Yna cododd Mastiff ddau fys dirmygus cyn troi a chychwyn oddi yno. Fedrai o ddim credu. Roedden nhw am ei *wrthod*. Am ei fod o'n llwfr ac yn methu â wynebu'r sialens gyfan. Fedrai o ddim gadael i hynny ddigwydd. Ddim ag yntau wedi mentro unwaith. Roedd yn rhaid iddo fentro eto. Rŵan hyn. Er mwyn iddyn nhw fod yn dystion o'i wrhydri.

Caledodd ei benderfyniad. Sefydlodd ei lygaid ar y criw yr ochr draw a thaflodd ei hun i ganol y traffig heb oedi eilwaith. Sgrechiodd cyrn a tharanodd teiars yn gacoffoni yn ei glustiau. Rywsut, ni wyddai sut, roedd o hanner y ffordd ar draws. Safai'r criw i'w wylio. Oedden nhw'n ei gymeradwyo? Yn ei weld yn ddewr am fentro?

Roedd ei holl fryd ar gyrraedd atynt. Doedd dim yn yr hollfyd ond ei goesau blinedig yn pwmpio 'mlaen a churiad byddarol ei galon yn ei glustiau, a'r ofn a wasgai'n dynnach ac yn dynnach ar ei ysgyfaint.

Taranodd lorri amdano. Cafodd gip ar wyneb syn y dreifar a chlywodd wich ddychrynllyd y brecio wrth iddo ymladd yn galed i atal y lorri rhag ei daro. Roedd yn ras rhyngddi hi ac yntau. Eiliad oedd o 'i hangen i gyrraedd diogelwch. Eiliad . . . eiliad . . . eiliad! Gorfododd nerth i'w goesau gwan. Ond, rywsut, roedden nhw'n drwm ac anystwyth, ac yn gwrthod ufuddhau.

Rhy hwyr! Baglodd. Llanwyd ei fyd gan sgrialu anobeithiol y teiars fel y brwydrodd y dreifar i'w osgoi. Rhywle o bell, clywodd gyrn gorffwyll wrth i batrwm y traffig gael ei chwalu. Trawodd metel ar fetel, ac ar fetel wedyn wrth i geir hyrddio yn erbyn ei gilydd, ac fel y tyfodd y lorri'n fwystfil rheibus a daranai tuag ato.

'MEICAL!'

Fe dybiodd glywed sgrech uwch sŵn y taranu. Am eiliad, gwelodd wynebau syn y gang yr ochr draw. Tybiodd glywed sgrech arall. Yna diflannodd popeth yn chwyrligwgan trawiad a phoen ofnadwy, a rhuthr yr hedfan wrth iddo gael ei hyrddio o'r neilltu i ddisgyn yn swp diymadferth, pitw wrth draed y criw a ddisgwyliai yr ochr draw.

Fe deimlodd y cyfan trwy niwl a dyfai'n gymylau myglyd o'i amgylch. Yna, yn ddiolchgar . . . dim.

Eisteddai'r nyrs o flaen y monitor ar y ddesg. Druan ohono, meddyliodd wrth edrych i gyfeiriad gwely Stwmp. Chwarae ras ar draws y drafford, meddai'r dynion ambiwlans. Ysgydwodd ei phen yn ddryslyd. Wnâi hi byth ddeall pam roedden nhw'n mentro.

Cododd a throedio'n ddistaw i fyseddu'r peipiau a gysylltai'r corff llonydd wrth y peiriannau gerllaw. Peiriannau a oedd yn effro i bob newid yn y claf.

'Ydi o'n well, nyrs?'

Gwenodd y nyrs ar y tri poenus a eisteddai wrth y gwely. Mam a thad a chwaer?

'Rhy fuan i ddweud eto,' cysurodd hwy.

'Ond dydi o'n cymryd dim sylw. Ddim yn anadlu bron. A'r holl beiriannau a'r rhwymau 'ma. O, pam roedd yn rhaid iddo wneud peth mor wirion?'

Palfalodd mam Stwmp am ei hances.

'Mewn coma mae o, Lena. Mi ddaw trwyddi,' cysurodd ei gŵr.

Trodd i wenu ar yr eneth dawedog wrth droed y gwely.

'Mae Meical yn un penderfynol, tydi, Sandra?'

Gwenodd hithau'n ôl yn dila.

Yn benderfynol? Oedd, y penci. Pam na fuasai o wedi gwrando arni hi? Mi ddeudodd hi ddigon. Wnâi o ddim gwrando. Pa help oedd ganddi fod ei fam o a'i thad hithau wedi priodi'i gilydd? Fe driodd hi fod yn ffrindiau. Ond na, roedd o'n ei beio hi am bopeth. Gwneud y gorau o'r gwaethaf, dyna oedd hi'i eisio. Ond doedd hynny ddim yn plesio'r cranci penstiff.

Gwenodd y nyrs arnynt, cyn dychwelyd i eistedd wrth ei desg. Ochneidiodd fel y sefydlodd ei llygaid ar y sgrin unwaith eto.

Doedd neb yn gwybod cyflwr meddwl un mewn coma, meddyliodd. Tybed oedd Meical Llwyd yn ymwybodol o'r ysbyty trwy niwl ei drymgwsg? Ynteu oedd o'n crwydro mewn rhyw fyd arall, pell? Byd lle'r oedd o'n ymladd yr haint a gerddai ei waed? A hwnnw'n realiti iddo bellach. Er mor llonydd y gorweddai Stwmp, roedd o'n ymladd am ei fywyd. Fe wyddai hynny.

2

Ymladdodd Stwmp o ddyfnder ei drymgwsg. Roedd yna rywbeth y dylai ei wneud. Rhywbeth yr oedd yn *rhaid* iddo ei wneud. Y funud yma. Ceisiodd godi yn ffrwcslyd. Ond suddodd yn ôl gan riddfan. Roedd ei gorff yn friwedig frwnt. Fel petai stemroler wedi gweithio'i ffordd yn araf trosto.

Fe deimlai'n annifyr. Er bod ei lygaid ar gau, fe wyddai fod golau llachar o'i amgylch, a gwres tanbaid yn cynhesu'i gorff. Ac roedd rhywbeth yn brathu'n boenus i'w ochr.

Symudodd law yn araf i'w deimlo. Rhywbeth oer a chaled—a miniog hefyd. Fel cyllell agored. Tynhaodd ei fysedd am y carn. Ond pam cyllell? Chwiliodd am ateb heb ei ganfod.

Agorodd ei lygaid yn ofalus a griddfanodd eto

wrth i'r morthwylion y tu ôl i'w lygaid ddrymio. Syllodd am eiliadau hir ar y rhwydwaith dieithr yr olwg uwch ei ben.

Brigau? Ond ar y draffordd roedd o ddiwethaf, 'te? Yn . . . rhedeg. Saethodd ar ei eistedd wrth gofio, ac ymaflodd yn ei ben wedyn i lonyddu'r morthwylion. Y ras iâr! Fe gofiai'r cyfan. Y traffig a'r sgrialu teiars, y cyrn yn sgrechian a'r lorri'n anelu'n syth amdano. Mam bach! Be ddigwyddodd?

Syllodd o'i gwmpas yn anghrediniol. Roedd o'n gorwedd ar lecyn bychan yng nghanol coed. Ond y ffasiwn goed! Welodd o ddim byd tebyg iddyn nhw o'r blaen. Coch! A'r rheiny'n gogwyddo'n rhythmig fel petaen nhw mewn llifeiriant.

Cododd pendro arno wrth edrych arnynt, a rhoes law grynedig i guddio'i lygaid. Pam roedd popeth yn edrych mor wahanol? Yn goch tywyll a phinc, yn goch golau ac ysgarlad? Byd coch fel gwaed. Yr awyr a'r cymylau, y glaswellt a'r pridd rhwng y gwreiddiau— i gyd yn hunllefus o goch.

Wrth gwrs! Breuddwydio roedd o. Cael hunllef. Ac mewn ychydig fe ddeffroai i'w fywyd cyfarwydd unwaith eto. I ysgol a chartref, a gormes Mastiff a'i gang.

Ond roedd o'n un ohonyn nhw rŵan, doedd? Wedi iddo gyflawni'r ras iâr! Ond tybed ddaru fo'i chyflawni mewn difri? Dechreuodd ail-fyw ei ofn wrth i'r lorri anelu amdano, y gwrthdrawiad, rhyddid poenus yr hedfan, ac yna . . . dim.

A rŵan, dyma fo mewn hunllef o gochni di-ben-draw. Arswydodd. Oedd o wedi marw yn y trawiad, ac wedi cyrraedd rhyw uffern ofnadwy yn rhywle? Neidiodd ar ei draed. Roedd yn rhaid iddo ddianc.

'Tali-ho!'

Diasbedodd gwaedd sydyn trwy'r coed gerllaw.

'Tali-ho-o!'

Diasbedodd y waedd eto, yn nes y tro hwn. Trodd yntau'n gylch simsan i syllu o'i gwmpas. O ba gyfeiriad y deuai'r waedd? A pham roedden nhw'n gweiddi 'Tali ho!' fel pe baen nhw'n erlid rhywun? Ac roedd bygythiad yn y waedd hefyd.

Cafodd gip ar symudiadau gwynion o dan y coed ar y dde iddo. Yna ffrwydrodd dau farchog o'u cysgod. Anelodd y ddau'n syth amdano, a'u picellau ar i waered i'w daro.

'Gelyn. Tali-ho! Y fyddin wen i'r gad!'

Y fo'n elyn? Ond doedd o wedi gwneud dim. Agorodd ei geg i weiddi arnynt. I egluro mai un diniwed oedd o, mewn lle dieithr. Ond . . .

Brathodd ei anadl yn ei wddf. Roedd eu harfwisgoedd gwyn yn tincian yn beryglus a'u hwynebau'n guddiedig o dan eu helmedau. Doedden nhw ddim am wrando gair! Dim ond . . . lladd!

Trodd Stwmp i ddianc.

'Llwfrgi! Aros i ymladd!'

Roedd y waedd wrth ei sodlau. Anelodd i'r chwith. I rywle o afael y carnau gwyllt a'r ddau farchog a hyrddiai eu bygythion tuag ato. Rhedodd dros y gwelltglas cringoch a'i galon yn drybowndio'n afreolus. Pwmpiai ei goesau 'mlaen ac ymlaen. Roedd o bron â syrthio. Ond roedd yn rhaid iddo redeg ymlaen. Roedden nhw bron â'i ddal.

Cyrhaeddodd gysgod y coed a'i hyrddio ei hun i'r brwgais bras wrth y bonau. Tynhaodd ei afael yn y gyllell. Ond i be? Doedd hi'n dda i ddim yn erbyn dau farchog a dwy bicell. Ble'r oedden nhw? Rhwbiodd y chwys o'i lygaid er mwyn gweld yn well.

Dawnsiai carnau'r ceffylau o gwmpas ei guddfan. Ond doedd hi ddim yn guddfan, yn nac oedd? Roedden nhw'n gwybod ei fod o yno, ac yn disgwyl.

'Y cachgi llwfr! Heb dy griw microb rŵan, dwyt?'

Pa griw microb, meddyliodd Stwmp yn syn.

''Sgin i ddim criw,' gwaeddodd gan afael yn dynn yn y gyllell.

'Gwranda arno fo! Unrhyw beth i arbed ei groen,' chwarddodd y marchog.

Neidiodd oddi ar ei geffyl, a dechrau pwnio'r brwgais yn gïaidd â'i bicell.

'Allan!'

Cododd Stwmp yn araf. Pa iws cuddio rhagor? Ond roedd o am ddal ei afael yn y gyllell. Ymwthiodd o'r brwgais gan geisio ymddangos yn ddewr.

Cododd y marchog feisor ei helmed ac edrych arno'n ddrwgdybus.

'Microb hefo llygaid glas! Dyna od,' meddai gan ddal ei bicell yr un mor fygythiol. 'Be wyt ti'n 'i feddwl, Mic?'

Cododd y llall ei feisor hefyd. Syllodd y ddau'n hir ar Stwmp.

'Tric arall gan y gelyn,' meddai Mic o'r diwedd. 'Dim ots pa liw ydi ei lygaid. Microb ydi o. Gelyn.'

'Nid microb ydw i. Bachgen,' meddai Stwmp.

'O ia? Yn y wisg od 'na?'

'Od?'

Edrychodd Stwmp i lawr arno'i hun. Beth oedd yn od mewn trywsus ysgol a chrys a siwmper?

'Mynd â fo at Michelin fyddai ora, Mac,' penderfynodd Mic.

'Ia,' cytunodd hwnnw. Roedd boddhad yn ei lais.

'Mi ofalith Michelin roi tro ar ei gorn gwddw. Cychwyn hi.'

Marchogodd, ac amneidio â'i bicell i ddangos y ffordd. Cododd Stwmp ei law i'w bygwth â'r gyllell. Yna gostyngodd hi drachefn. Beth oedd y pwynt? Crymodd ei ysgwyddau'n ddigalon. Roedden nhw wedi penderfynu mai microb oedd o, beth bynnag oedd hynny. Ond roedd o am ddal ei afael yn y gyllell, doed a ddelo. Ac efallai y câi gyfle . . .

Cychwynnodd gerdded.

'Aros.'

Roedd llygaid Mac yn sefydlog ar y gyllell yn llaw Stwmp ac roedd tinc rhyfedd yn ei lais.

'Mic! Edrych!' galwodd yn sydyn daer.

'Be?'

'Yn ei law o. Weli di?'

Tynnodd Mic yn sydyn gïaidd ar ffrwyn ei geffyl a'i lygaid yn lledaenu.

'Yr . . . Arf?' meddai'n anghrediniol.

Syllodd y ddau ar Stwmp, ac ar ei gilydd bob yn ail.

'Tybed . . .?'

'Wyt ti'n meddwl . . .?'

'Ble cefaist ti'r Arf?' holodd Mic yn sydyn chwyrn. 'Ateb, neu mi fydd dy groen di'n dameidiau ar fonyn y goeden 'ma.'

'Y gyllell? Fi piau hi.' Tynhaodd Stwmp ei afael ynddi. 'Ei chael hi gan fy nhaid.'

Plygodd Mic a Mac ymlaen i weld yn well, tra aflonyddai'r ceffylau oddi tanynt.

'Arf yr Arwr,' meddent a'u lleisiau'n codi'n floesg.

'O ble wnest ti ddwyn yr Arf?' brathodd Mac. 'Y gwir. Ar unwaith.'

'Y fi piau'r gyllell,' meddai Stwmp yn gadarn.

Doedd o ddim yn deall yr holl barablu am 'Arf' ac 'Arwr'. Ond doedden nhw ddim am gael dwyn ei gyllell. Ddim tra oedd dant yn ei ben o. Ond pwy wyddai am faint y byddai hynny hefo dau beryglus fel y rhain, arswydodd.

'Rhaid mynd â fo i'r gwersyll ar unwaith,' meddai Mic.

'Ond fedrwn ni mo'i orfodi i *gerdded* os mai'r "Arwr" ydi o.'

Edrychodd y ddau ar ei gilydd am eiliad. Yna, daeth yr un syniad i'w meddyliau. Neidiasant oddi ar eu ceffylau fel un.

'Mi gei reidio fy ngheffyl i,' meddai Mic.

'Na . . . f'un i,' meddai Mac.

'F'un i.'

'Ond y fi sylwodd ar yr Arf.'

Cododd eu lleisiau'n uwch ac yn uwch.

'Ma' 'ngheffyl i'n fwy na d'un di.'

'F'un i'n gryfach.'

Cynyddodd y dadlau. Anghofiodd y ddau wylio Stwmp. Cododd ei obeithion yntau. Efallai y medrai flaendroedio'n ddistaw oddi wrthynt—a dianc. Dringo coeden, efallai, a chuddio yn y brigau. Stwffiodd y gyllell i'w boced er mwyn cael ei ddwylo'n rhydd.

'Taflu ceiniog?' cynigiodd Mic.

'Iawn,' meddai Mac.

'Ond . . . 'sgynnon ni'r un.'

Trodd y ddau at Stwmp.

'Sgin ti . . .?'

'HEI!' bloeddiasant.

Roedd o wedi aros yn rhy hwyr. Ciciodd y glaswellt cringoch yn rhwystredig wrth i'r ddau ymaflyd ynddo.

'Dy geffyl di fydd orau, wrth gwrs,' meddai Mic mewn llais gwneud andros o ffafr.

'Na . . . d'un di,' meddai Mac, mewn llais gwneud ffafr fwy.

'D'un di.'

'D'un di.'

Daeth distawrwydd fel y gwgodd y ddau drwyn yn drwyn.

'Dydw i ddim eisio reidio ceffyl,' meddai Stwmp. 'Fedra i ddim.'

'Fedri di ddim?'

Syrthiodd gwep y ddau.

'Wir?'

'Wir,' cadarnhaodd Stwmp.

Edrychodd Mic a Mac ar ei gilydd am eiliad. Yna . . .

'Rŵan!' bloeddiodd Mic.

Ymaflodd y ddau ynddo a'i daflu ar gefn y ceffyl agosaf. A chyn i Stwmp gael cyfle i ddod ato'i hun, roedd hwnnw'n carlamu fel 'randros rhwng y coed, ac yntau'n cael ei fownsio a'i godi a'i daflu o ochr i ochr yn ddidrugaredd.

'Ooo! We! OOoww!'

Saethodd ei anadl yn fwledi poenus o'i ysgyfaint.

'He . . . lp!' gwaeddodd gan geisio dal ei afael fel gelen mewn cyfrwy a mwng a ffrwyn—unrhyw beth a oedd o fewn gafael.

Rywsut fe'i cafodd ei hun yn wynebu'n ôl ac yn cydio yng nghynffon y ceffyl. Taflwyd ei goesau at i fyny, a thynnwyd nhw at i lawr. Ceisiodd eu clymu'n gylch am fol y ceffyl ond roedd pob ysgytiad yn ei fownsio a'i daflu rywsut rywsut.

Clywai chwerthin uwch carlam y ceffyl. Mentrodd agor ei lygaid am eiliad a gweld Mic a Mac yn rhannu ceffyl y tu ôl iddo. Roedd feisor y ddau ar i fyny a gwen lydan ar eu hwynebau.

'Ooo-ooo!'

Roedd gwylio'r glaswellt yn stribedu'n gringoch o flaen ei drwyn yn ormod iddo. Cododd beil llosg i'w wddf, a chaeodd ei lygaid i geisio llonyddu ei stumog.

'Ooo-ooo!'

Rhwygwyd yr ochenaid o'i ysgyfaint wrth i'r ceffyl neidio tros foncyff a orweddai ar draws y llwybr. Roedd o'n colli ei afael, yn syrthio. Palfalodd â'i draed am afaeliad, unrhyw afaeliad rhag disgyn o dan y carnau gwyllt. Rywsut, llwyddodd i wthio blaenau'i drênyrs i glustiau'r ceffyl. Turiodd hwy i mewn yn ddyfnach a thynhau ei afael yn y gynffon fel y sbonciodd y ceffyl yn sydyn anfodlon.

'Os . . . d . . . o i'n . . . saff . . . oddi . . . ar gef . . . n y ce . . . eeffyl 'ma, . . . mi . . .'

Meddyliodd am yr holl bethau atgas a wnâi i'r ddau farchog, a hynny gyda phleser hefyd. Gwasgodd ei ddannedd at ei gilydd, a cheisio gwneud pob modfedd o'i gorff yn gelen ludiog.

Roedd o'n llwyddo! Ymlaciodd. Yna'n sydyn, fe garlamodd y ceffyl i wersyll mawr a safai yng nghanol y coed. A chyn i Stwmp ddeffro i'r perygl, sglefriodd ei garnau gwyllt yn sydyn i'w hunfan a llithrodd yntau'n sypyn heglog i'r llawr.

Agorodd ei lygaid i ganfod dyn gwyn, rholiog yn edrych i lawr arno.

3

Gorweddodd Stwmp yno'n ddiymadferth. Roedd o'n rhy friwedig i symud cymal. Syllodd i fyny at y ffigur rholiog uwch ei ben. Y dyn Michelin a fyddai'n hysbysebu teiars! Ond . . . ond . . .

Roedd cylch o bobl o'i gwmpas. A phob un ohonyn nhw hefo picell neu gleddyf yn ei law, ac yn wyn o'i gorun i'w draed. Croen gwyn, gwallt gwyn, dillad gwyn! Mewn byd coch! Ble'r oedd o mewn difri?

Sgrialodd Mic a Mac oddi ar eu ceffyl y tu ôl iddo, a rhedodd y ddau ymlaen.

'Uffern dân! Beth ydi hyn?' rhuodd y dyn boliog yn filain. 'Dŵad â gelyn microb i'r gwersyll. Ysbïwr! LLADDWCH O!'

'Ond . . .' cychwynnodd Mic.

'Dim gair,' rhuodd y dyn boliog eto. 'Be gebyst oedd ar eich pennau twp chi?'

Amneidiodd â'i fraich gyhyrog.

'CLEDDYF!' gorchmynnodd.

Ceisiodd Stwmp godi.

'Ond nid microb . . .'

Ciciodd Michelin ef yn ôl i'r llawr.

'BYDD DDISTAW,' rhuodd.

Tynhaodd ei afael ar y cleddyf a'i godi i'w daro.

Camodd Mac ymlaen yn frysiog.

'Mae'r Arf ganddo, Michelin!'

'SYMUD! 'Ta wyt tithau eisio teimlo blas y cleddyf 'ma hefyd?'

'Ond . . . mae o'n wir, Michelin,' ategodd Mic yn bendant. 'Mi welodd Mac a finnau fo.'

Gostyngodd Michelin y cleddyf am eiliad a chwarddodd nes roedd rholiau'i gorff yn gwegian fel tonnau môr.

'Un arall o'ch triciau plentynnaidd felltith chi. Rhyfel ydi hwn. Rhyfel i'r eithaf yn erbyn y microb sy'n goresgyn gwaed y twpsyn a redodd ras iâr. Ac mae'n rhaid i chi'ch dau gael chwarae triciau. Heb dyfu eto 'dach chi?'

Llyncodd Stwmp boer sydyn. Y fo redodd y ras iâr! Roedd o'n *cofio*! Ble'r oedd o rŵan felly? Doedd o 'rioed yn ei waed ei hun? Fe godai'r syniad gyfog arno.

Roedd Michelin yn llygadu Mic a Mac yn llym.

'Ond mae ffordd i'ch setlo chithau hefyd,' bygythiodd. 'Yn ôl at eich mam yr ewch chi.'

Syfrdanwyd Stwmp. Heb dyfu eto, ddywedodd o. Ac yn bygwth eu hanfon yn ôl at eu mam? Dau farchog peryglus fel y nhw? Pa mor beryg oedd y gweddill ohonyn nhw, felly? Aeth ias i lawr ei gefn wrth iddo godi ar ei eistedd gan gadw llygad gwyliadwrus ar y cleddyf yn llaw Michelin.

'Nid gelyn ydw i,' mentrodd trwy wefusau sych.

Pam gebyst na fuasai'r belen eira o ddyn yn gwrando arno?

'Cau hi,' gorchmynnodd Michelin yn swta. 'Mae pob microb yn elyn. Dydw i ddim eisio clywed dy esgusodion di.'

'Stwmp ydw i. Y fi redodd y ras iâr!'

'Mwya ffŵl chdi,' oedd sylw cas Michelin heb goelio gair.

'Ond ei lygaid o? Glas ydyn nhw,' meddai Mac.

Edrychodd Michelin yn ansicr am eiliad wrth iddo graffu ar lygaid Stwmp.

Yna ystumiodd ei ysgwyddau.

'Tric arall microb.'

Miniogodd ei lygaid wrth iddo ailgodi'r cleddyf. Llusgodd Stwmp ymhellach oddi wrtho, a'i galon yn drybowndio.

Neidiodd Mic i sefyll rhyngddynt.

'Dangos yr Arf,' gwaeddodd. 'Rŵan hyn!'

'B . . . be?'

'YR ARF! RŴAN!'

Roedd golwg dymherus ar Michelin.

'Y giwed felltith,' sgyrnygodd. 'O'm ffordd i.'

Saethodd ei ddwrn chwith ymlaen a tharo Mic o dan ei helmed agored. Rholiodd hwnnw'n din-tros-ei-ben swnllyd ar y glaswellt cringoch, cyn suddo'n sypyn llonydd wrth draed y cylch o wylwyr gwynion ychydig bellter i ffwrdd. Aeth si isel trwyddynt wrth iddynt edrych i lawr arno, ond ni symudodd neb.

'DAD! Sut medri di?'

Hyrddiodd Mac ei hun ymlaen.

'Pam na wnei di wrando?'

Gafaelodd llaw gyhyrog Michelin ynddo a'i ddal fel doli glwt led braich oddi wrtho. Daeth gwên gynnil i'w wyneb.

'Tipyn o dy dad ynddot ti, Mac. Dos i ddadebru'r penci efell 'na sy gen ti,' gorchmynnodd cyn troi at Stwmp.

Edrychodd i lawr arno'n fygythiol.

'A ble mae'r arf ardderchog 'ma maen nhw'n sôn amdano?' holodd.

Estynnodd Stwmp law yn araf at ei boced.

'A dim o dy driciau di,' sgyrnygodd Michelin.

'Fy nghyllell boced i ydi hi,' meddai Stwmp gan ei thynnu o'i boced a'i dangos ar gledr ei law. 'Honno gefais i gan fy nhaid.'

Lledaenodd llygaid Michelin pan welodd hi.

'Yr Arf!' meddai'n syn.

Yna taflodd ei ben yn ôl a rhuo chwerthin nes roedd y coed yn diasbedain.

'Yr Arf!' meddai eto, gan daflu'i freichiau ar led. 'Y ni biau'r frwydr hefo hwn yn ein meddiant.'

Camodd ymlaen a gwasgu Stwmp ato nes iddo ddiflannu yng nghanol y rholiau tew, ac i'r anadl saethu'n ochenaid o'i ysgyfaint.

'Mic a Mac! Fy meibion gwyn i! Dowch at eich tad!' galwodd Michelin.

Trodd at y gwylwyr gwynion.

'Rhaid galw cyngor rhyfel ar unwaith. Does dim amser i'w golli. MARW POB GELYN!'

Chwifiodd y dorf eu harfau'n wyllt.

'MARW POB GELYN!' bloeddiasant fel un.

Dechreuodd pawb wasgaru i'r pebyll gerllaw.

Yn sydyn, rhewodd y dorf wrth i waedd daer godi o gyfeiriad y coed.

'Y GELYN! MICRO . . .'

Tagodd y waedd yn ddim wrth i waed lifo'n bistyll gwyn o wddf y gwaeddwr. Am eiliad, crafangodd ei fysedd am y saeth a'i clwyfodd cyn iddo lithro'n farw i'r llawr.

Gollyngodd Michelin fraich Stwmp yn ddiseremoni, a chododd ei lais yn daran uwch dwndwr yr ymladd ffyrnig.

'Y FYDDIN WEN, I'R GAD! MARW POB MICROB!'

Rhuthrodd ymlaen a'i gleddyf ar i waered i gyfarfod yr haid mewn gwisgoedd duon a lifai o gysgod y coed.

Safodd Stwmp yn betrusgar. Beth wnâi o? Roedd dwndwr rhyfela yn ei glustiau a lleisiau'n gweiddi a bygwth uwch dyrnu'r ymladd.

Cyrhaeddodd Mic a Mac ato.

'Hwyl, 'te?' meddai Mac gan stwffio picell i'w law. 'Gafael yn honna a sticia unrhyw elyn ddaw amdanat ti.'

'Eu sticio nhw? Y fi?'

Roedd calon Stwmp yn ei wddf. Doedd o ddim wedi ymladd neb erioed, heb sôn am eu sticio nhw.

'A chuddia'r Arf,' rhybuddiodd Mic trwy'i ddannedd. 'Dydi wiw iddo syrthio i ddwylo'r gelyn.'

Ufuddhaodd Stwmp. Stwffiodd y gyllell i'w boced cyn aildynhau ei afael yn y bicell. Ond beth wnâi o hefo hi petai microb yn ei fygwth? Llyncodd boer annifyr.

'Tyrd yn dy flaen,' bloeddiodd Mic uwch dwndwr yr ymladd.

'Ond . . . i ble?'

'I'r frwydr, siŵr iawn. I'w chanol hi. Oes arnat ti ofn?'

Roedd dirmyg ar wyneb Mic.

'Nac oes, siŵr.'

'Iawn 'ta,' oedd ateb Mic.

Chwifiodd ei bicell.

'Tali-ho!' gwaeddodd gan ei daflu'i hun i gyfeiriad y frwydr.

'Tali-ho!' adleisiodd ei efell gan redeg ar ôl ei frawd.

'Tali-ho gythraul,' sibrydodd Stwmp gan betruso rhwng dilyn a dianc.

Ond rywsut, fe afaelodd cyffro'r frwydr ynddo yntau. A heb yn wybod iddo bron, roedd o'n rhedeg a gweiddi ar dop ei lais.

'Tali-ho!' gwaeddodd. 'Tali-ho!'

Tynhaodd ei afael yn ei bicell wrth iddo nesáu at yr haflug ddu a redai'n don amdano.

Petrusodd am eiliad ansicr. Roedd Mic a Mac yng nghanol yr ymladd. Roedden nhw'n taro ac aildaro gyda'u picellau gan ddawnsio o gyrraedd y gelyn bob yn ail.

Doedd Stwmp ddim eisio ymuno â'r frwydr, ond doedd o ddim eisio bod yn llwfrgi chwaith. Fe'i gorfododd ei hun ymlaen.

Roedd sŵn taro a gweiddi yn ei glustiau wrth iddo wynebu un o'r gelyn. Ystumiodd hwnnw wrth ei weld.

'Llipryn!' pryfociodd, a'i lygaid yn goch tanllyd. 'Meddwl y medri di ymladd, wyt ti?'

Ni chafodd Stwmp amser i ailystyried. Rhuthrodd y microb ymlaen gan chwifio cortyn uwch ei ben. Cortyn oedd yn frith o ddarnau metel wedi'u hogi'n beryglus finiog.

Cyrcydodd Stwmp wrth i'r cortyn chwibanu amdano. Yna neidiodd i fyny i geisio'i amddiffyn ei hun hefo'i bicell. Ond er iddo daro a tharo, fe neidiai'r microb o'i gyrraedd cyn ymosod yn wyllt drachefn. Chwibanai'r darnau metel tuag ato dro ar ôl tro.

Serennai'r llygaid cochion yn filain arno. Gwasgodd Stwmp goes y bicell yn benderfynol fel yr ystumiai'n ôl a blaen, a'i galon yn curo'n fyddarol. I'r chwith, i'r dde. Rywsut, ond iddo lwyddo i daro'r cortyn i'r llawr.

Ond dawnsiai'r gelyn o'i gwmpas, a chwibanai'r darnau metel yn nes ac yn nes at ei wddf. Dychmygai Stwmp hwy'n brathu i'w groen, a'r llifeiriant gwaed a ddeuai wedyn. Pam roedd o mewn byd a brwydr ddieithr, meddyliodd yn ddryslyd. I fyd normal ysgol a chartref roedd o'n perthyn.

Cyrcydodd Stwmp eto fel y chwibanodd y cortyn o fewn trwch blewyn i'w wyneb. Llosgai ei anadl yn frwnt, a gwrthodai ei goesau symud cam. Doedd dim iws ymladd bellach. Roedd ei fysedd yn colli eu gafael ar y bicell ac afon o chwys yn ei ddallu.

Gwaeddodd llais cras yn sydyn gerllaw.

'Paid â'i ladd. Mae'r Arf ganddo.'

Petrusodd y microb am eiliad, a hanner troi i gyfeiriad y llais. Manteisiodd Stwmp ar y cyfle. Gorfododd nerth i'w fysedd llipa a rhuthro ymlaen. Trawodd a thrawodd heb wybod i ble yr anelai. Taro rywsut, rywle, ond i'r wyneb atgas ddiflannu oddi wrtho. Brathodd y bicell i'r cnawd dieithr cyn suddo'n ddwfn i'w frest. Lledaenodd sioc tros wyneb y microb. Gollyngodd y cortyn, a chrafangodd ei ddwylo am ei frest. Ceisiodd dynnu'r bicell, ond gwanhaodd ei fysedd wrth i'r gwaed bistyllu'n afon ddu o'r briw.

Yna baglodd ymlaen a'i lygaid cochion yn llygadrythu'n filain ar wyneb Stwmp.

'Y . . . y . . .' bloesgodd.

Roedd Stwmp eisio gollwng y bicell a chilio oddi wrth y gwaed a dywalltai'n gynnes aflan ar ei ddwylo. Ond roedd y microb yn baglu'n araf ond yn benderfynol tuag ato, a'i wefusau'n ystumio poen.

Ymladdodd Stwmp am ei anadl. Marw, y microb gythraul, gwaeddai ei feddwl. Marw. MARW! Ond roedd o'n gwrthod marw. Roedd yn rhaid iddo yntau ddal ei afael yn y bicell a'i gwthio'n ddyfnach i'r briw. Ond . . . roedd ei nerth yn pallu unwaith eto. Fedrai o ddim . . . pwyso . . . 'mlaen. Y fo neu fi, meddyliodd yn anobeithiol. Mae'n *rhaid* ei ladd.

Crebachai ei du mewn wrth weld y gwaed du yn llifo'n afon tua'r gwelltglas cringoch.

Rhaid ei ladd. Fe'i gorfododd ei hun i wneud un ymdrech arall. Gwasgodd ei ddwylo am garn y bicell, a rhoi hwyth milain sydyn iddi i gyfarfod y microb wrth i hwnnw estyn am ei wddf. Teimlodd hi'n crensian hyd at yr asgwrn. Yna'n sydyn, pylodd y llygaid cochion a chwympodd y microb yn farw wrth ei draed.

Ceisiodd Stwmp dynnu'r bicell yn rhydd, ond ni allai. Roedd ei freichiau'n rhy wan, a'i draed a'i goesau'n gwrthod ei gynnal. Syrthiodd yn ddiymadferth ar ben y corff.

Doedd dim ots, meddyliodd yn niwlog. Fe orweddai yno heb symud cymal am . . . am byth.

Heddwch, meddyliodd yn freuddwydiol wrth i'r blinder lifo trwy'i gorff.

Ni chlywodd y camau sydyn y tu ôl iddo, ac ni chafodd gyfle i osgoi'r pastwn didrugaredd a anelwyd at ei ben. Caeodd tywyllwch sydyn amdano. Doedd dim ots bellach am fyd coch fel gwaed a phobl wynion, nac am elynion microb a'u llygaid cochion hunllefus. Llithrodd ei synhwyrau oddi wrtho.

Blîp blîp!

Roedd y nyrs ar ei thraed bron cyn i'r rhybudd swnio ar y monitor. Roedd rhywbeth o'i le! Brysiodd at wely Stwmp a byseddu'r peipiau wrth i weddill y tîm gofal arbennig gyrraedd ar frys.

Na, roedd y peipiau i gyd wedi'u cysylltu'n ddiogel. Ond roedd y monitor bychan yn dangos arafiad ei galon —o dan 45 curiad y funud, a'i anadlu'n diflannu'n ddim!

Ar unwaith, symudodd y tîm i batrwm cyfarwydd argyfwng. Sodrodd nyrs y masg ocsigen a hongiai ar y wal tros wyneb Stwmp, a chythrodd nyrs arall am y bag anadlu a grogai o'r beipen ocsigen, a dechrau ei wasgu'n rhythmig gyflym i orfodi'r nwy i'w ysgyfaint.

'O, nyrs! Be sy?'

Roedd panig yn llais mam Stwmp.

'Dowch, Lena, Sandra. Ddim yma mae'n lle ni rŵan.'

Doedd gan y nyrsys ddim amser i sylwi nac ateb.

'Mae'n dechrau anadlu,' sylwodd un.

Arafodd y pwmpio cyflym a chadw amser ag anadlu llafurus Stwmp.

'Y galon! Araf ydi hi o hyd!'

Cyrhaeddodd y meddyg wrth i'r nyrsys ddechrau

pwmpio'i frest. Un, dau, tri, pedwar, pump. Anadl. Un, dau, tri, pedwar, pump. Anadl.

Roedd llygaid pawb ar y monitor. Wnâi'r galon gyflymu'i churiad bregus? Un, dau, tri, pedwar, pump. Anadl. Doedd dim amser i sefyll yn ôl a chael seibiant. Un, dau, tri, pedwar, pump. Anadl. Eto ac eto. Yna, cyflymodd y curiad ar y monitor ac ochneidiodd y tîm yn ddiolchgar.

Ond roedd yn rhy fuan i ymlacio. Safasant yn ôl a'u llygaid ar y monitor wrth i'r curiad gryfhau yn rhythm cyson a gwastad.

Plygodd y meddyg trosto am eiliadau hir cyn nodio'n fodlon.

'Mae'r argyfwng drosodd am y tro,' meddai. 'Ond mae'n well imi gael gair â'r teulu.'

Diflannodd am yr ystafell ddisgwyl gan adael nyrs i wylio'n ddistaw wrth droed y gwely.

'Doctor? Ydi o'n well?'

Plygodd ac ailblygodd mam Stwmp ei dwylo'n nerfus wrth iddi edrych yn daer i'w wyneb.

Eisteddodd y meddyg gyda hi a gafael yn garedig yn ei dwylo.

'Ydi,' meddai. 'Ond, rhaid ichi ddeall, mae Meical yn fachgen gwael iawn. Rydyn ni'n gwneud ein gorau iddo, gydag antibiotig a gofal cyson. Ond mae haint ei archollion yn ei waed, ac mae'r celloedd gwynion, fel byddin wen, yn magu ac amlhau i geisio trechu'r gelyn. Ond brwydr Meical ydi hi. Helpu yn unig fedrwn ni.'

4

Dadebrodd Stwmp yn araf. Ble'r oedd o? Roedd ei ben yn un cur mawr a theimlai ei gorff yn gleisiau byw. Ac yn waeth na'r cyfan, roedd o'n gorwedd ar rywbeth symudol. Rhywbeth a sbonciai i fyny ac i lawr, ac o'r chwith i'r dde yn gïaidd barhaus, nes bod pob asgwrn yn brifo ganddo. Gweddïodd am i'r symudiadau beidio, petai ond am eiliad. Jest digon iddo gael codi ar ei eistedd a . . . a . . .

Roedd sŵn anadlu trwm o boptu iddo a sŵn traed yn dyrnu'n wastad ar wyneb caled. Roedd o'n cael ei gludo gan rywun. Efallai ei fod wedi'i glwyfo yn y frwydr, meddyliodd, ac ar y ffordd i . . . ble? Ceisiodd agor ei lygaid. Ond ni fedrai. Brawychodd. Oedd o'n ddall? Ai dyna pam roedd ganddo gur mor ofnadwy yn ei ben?

Yna ymlaciodd ychydig. Roedd rhywbeth am ei wyneb, doedd? Rhwymyn tyn a wasgai ar ei geg a'i lygaid. Efallai fod ei wyneb yn gwaedu ar ôl briwiau'r frwydr.

Ceisiodd symud ei ddwylo i afael yn dynnach yn y cludydd. Ond . . . ond . . . roedd y rheiny wedi'u clymu hefyd. A'i draed. Roedd o'n garcharor!

Ymladdodd yn erbyn y dychryn a ffrydiai trwy'i gorff. Pam ei glymu fel hyn? Dechreuodd ei du mewn grynu, a gwasgodd ei ddannedd wrth i'r cludydd ysgwyd yn ddidrugaredd.

'Hyp! Y diawliaid diog! Ymlaen!'

Cynyddodd cyflymdra'r traed wrth ei ochr mewn ymateb nes roedd ei ddannedd yn clecian a'i holl gorff yn ysgytian. Ond roedd ei feddwl yn troi a throi'r cwestiwn. Pwy oedd yn ei gludo mor gyflym, a pham ei rwymo fel hyn?

Aros, Stwmp, ceisiodd ei ddarbwyllo ei hun. Efallai bod rheswm da pam. Ei ddiogelu rhag disgyn, tybed?

Ond ni chafodd amser i'w ailgysuro ei hun. Yn sydyn, baglodd rhai o'r traed, a rhoddodd y cludydd oddi tano sbonc anferth cyn gogwyddo'n beryglus. Gwaeddodd lleisiau ar draws ei gilydd, a rhegodd llais awdurdodol.

'Uffern dân! Y pennau llebog ichi!'

Gogwyddodd y cludydd fwyfwy. Llithrodd yntau. Ni allai ei arbed ei hun rhag syrthio'n rholyn diymadferth. Gwaeddai'r lleisiau croch uwch ei ben wrth iddo yntau drawo rhywle caled nes i'r anadl saethu o'i ysgyfaint.

'Be ddiawl?' rhegodd y llais awdurdodol eto.

Chwibanodd chwip rywle yn ymyl a daeth gwaedd sydyn, boenus. Yna sŵn griddfan isel wrth i rywun fagu ei glwyfau.

'Y cranci bler!' brathodd y llais yn ffyrnig.

'Llai o dy gwyno felltith di,' rhuodd y llais eto. 'Gafael yn y cludydd 'na. Mae Mastiff yn disgwyl am hwn. Am yr Arf sy yn ei boced hefyd.'

Mastiff? Ond roedd Mastiff yn byw yn y byd normal hwnnw a oedd fel breuddwyd i Stwmp bellach. Ysgafnhaodd ei galon yn sydyn. Ble bynnag roedd Mastiff, roedd yna ysgol a chartref hefyd, doedd? Ac efallai ei fod yntau, Stwmp, am ddeffro o'r hunllef ofnadwy yma unrhyw funud rŵan.

'Mae'r ffagl wedi diffodd.'

'Ble mae'r carcharor?'

'Wela i ddim . . .'

Gwaeddodd y lleisiau ar draws ei gilydd wrth i draed dryslyd chwilio yma ac acw. Ceisiodd Stwmp rolio o'u gafael. Roedd o eisio gweiddi, eisio gweld, eisio dianc. Ond fedrai o wneud 'run o'r pethau hynny, dim ond gorwedd yno'n sypyn llonydd heb fedru symud llaw na throed. Yna cafodd gic sydyn, gïaidd wrth i rywun gwympo ar ei draws.

'Dyma fo . . .'

Palfalodd dwylo amdano yn y tywyllwch. Ond ni chlywodd Stwmp ragor. Wrth gwympo, roedd rhywun wedi rhoi andros o hwyth iddo. Dechreuodd rolio. Fe'i teimlai ei hun yn cyflymu i lawr llethr serth. Yn araf i ddechrau, yna'n gynt ac yn gynt nes iddo ddrybowndio'n wyllt oddi wrth y lleisiau cwerylgar uwchben.

Rhwygwyd y mwgwd yn boenus oddi ar ei wyneb.

'He . . . ee . . . lp!'

Boddwyd ei lais gan y bownsio a'r syrthio a'r rholio gwyllt. Saethodd yr anadl o'i ysgyfaint eto wrth iddo rwygo'i ffordd trwy fieri a brwgais nes cyrraedd y gwaelod. Teimlodd ei hun yn rholio ar hyd rhywle gwastad, cyn iddo gwympo'n sydyn frawychus i wagle oeraidd. Disgynnodd ar garped sych a myglyd. Mwsogl?

Swniai'r lleisiau cyffrous yn wannaidd bell. Syllodd Stwmp i'r gwagle tywyll o'i gwmpas. Roedd hi fel y fagddu yno. Craffodd i fyny i geisio canfod y twll y syrthiodd trwyddo. Ond roedd hi'n dywyll y tu allan hefyd. Yna, nesaodd y lleisiau a daeth llewyrch ffagl i oleuo ac ailoleuo'r sgwâr ymhell uwchben.

Brwydrai teimladau y tu mewn iddo. Beth a wnâi? Gweiddi i'w harwain at ei guddfan? Ynteu cuddio yma a gobeithio datod ei rwymau? Ond beth petai'n methu â'u datod? Mi fyddai'n gorwedd yno nes marw o newyn.

Ceisiodd ysgwyd ei goesau a'i freichiau i'w ryddhau ei hun. Ond roedd ei rwymau'n rhy dynn. Doedd ganddo ddim dewis. Roedd yn rhaid iddo weiddi i'w harwain ato.

Agorodd ei geg . . . yna caeodd hi drachefn a'i galon yn rhoi tro sydyn syfrdan. Roedd siffrwd traed rywle ar y chwith iddo, a llais isel yn ei rybuddio.

'Dim smic. Os wyt ti eisio dianc.'

Clywodd sŵn dringo ysgafn tua'r nenfwd, a'r eiliad nesaf diflannodd fflachiadau'r ffagl fel y rhuglodd ceuddrws yn ddistaw esmwyth i gau'r twll uwchben.

'Dim smic!' rhybuddiodd y llais isel eto.

Disgynnodd distawrwydd llethol ar y guddfan. Ofnai Stwmp anadlu bron. Pwy oedd perchen y llais? Gelyn arall?

Ni symudodd neb yn y guddfan. Swniai'r lleisiau'n egwan ymhell uwchben, ac wedi peth amser ciliasant.

'Be . . .?'

'Ssssh!'

Roedd yr ymateb yn sisial ffyrnig.

'Rhy fuan,' meddai llais isel yn ei glust.

Daeth distawrwydd dros y guddfan eto, distawrwydd a estynnodd yn funudau hir, anesmwyth i Stwmp. Pam disgwyl mor hir, meddyliodd. Doedd dim i'w glywed ers meitin.

Yna rhewodd eilwaith. Roedd lleisiau uwchben unwaith eto, a sŵn ffraeo ffyrnig. Clustfeiniodd Stwmp. Ond roedd caead y ceuddrws yn ei rwystro rhag gwneud unrhyw synnwyr o furmur y geiriau.

Gorweddodd yno a'i feddwl yn carlamu wrth i'r lleisiau gilio unwaith eto. Pwy oedd ei achubwr?

O'r diwedd, clywodd symudiadau ysgafn wrth ei ochr, a phalfalodd dwylo am ei rwymau. Brathodd Stwmp ei wefusau wrth i boen pinnau bach ledaenu trwy'i freichiau a'i goesau wrth iddynt gael eu datod.

'Dilyn fi,' gorchmynnodd y llais.

Cododd Stwmp yn drwsgl wrth i lygedyn gwan y tywyllwch ysgafnhau.

Craffodd i gyfeiriad y ffigur a ddaliai'r gannwyll. Ond ni allai weld fawr ddim ohono o dan gysgod y clogyn trwchus a'i gorchuddiai.

'Dilyn fi,' meddai'r llais isel eto.

Trodd a diflannu'n ddisymwth i geg twnnel ym mhen draw'r guddfan. A heb ddisgwyl wrth Stwmp camodd ymlaen gan gludo'r unig olau gydag ef.

Baglodd Stwmp ar ei ôl er bod ei goesau'n ansicr boenus. I ble'r oedd yn ei arwain? Plygodd yn wargam i osgoi'r nenfwd a ogwyddai'n is ac yn is uwchben.

Camai'r ffigur o'i flaen heb droi unwaith i sicrhau bod Stwmp yn ei ddilyn. Teimlai Stwmp y muriau'n cau amdano, a'i anadl yn methu'n wantan yn y lle caeedig. Pesychodd, ac aeth ias drwyddo wrth i'r sŵn ddiasbedain drosodd a throsodd rhwng y muriau. Pam na ddywedai'r ffigur o'i flaen rywbeth? I ble'r oedd yn ei arwain?

Yna, chwaraeodd awel ysgafn ar ei wyneb. Awel oeraidd a ddeuai â murmur isel lleisiau yn ei sgil. Heb yn wybod iddo bron, cyflymodd ei gerddediad a chamodd o'r twnnel yn dynn wrth sodlau'i arweinydd.

Roedd Stwmp wedi'i syfrdanu ormod i symud cam. Roedden nhw mewn ogof enfawr, ogof a oedd yn llawn o filwyr a phobl yn gweithio'n brysur. Hogai rhai ohonynt gleddyfau gan gipio tamaid bob yn hyn a hyn oddi ar blatiau llwythog wrth eu hochr. Daliai rhai eraill flaen picellau i boethi'n wynias mewn tanau, cyn eu trochi mewn crochanau yn llawn o stwff gludiog, du. Roedd brys a phwrpas yn amlwg yn eu hosgo.

Ond yn wahanol i'r prysurdeb bwriadol o'u cwmpas, eisteddai torf ddistaw ar ganol y llawr. Roedden nhw'n gwau a phlethu rhwydwaith clòs o edafedd ysgafn. Plygai pob un dros ei waith heb gymryd sylw o'r hyn a ddigwyddai o'i amgylch.

'Symud hi.'

Brathodd penelin yn sydyn i ochr Stwmp wrth i'w arweinydd droi'n ôl ato.

'Mi gei amser i weld eto. Mae *hi* yn disgwyl.'

'Y hi?'

'Ia.'

'Pwy . . .?'

Ond ni chymerodd ei gydymaith sylw o'i gwestiwn. Amneidiodd arno i'w ddilyn trwy'r dorf at fwrdd uchel ym mhen draw'r ogof.

Troediodd Stwmp wrth ei sodlau gan ddyfalu pwy oedd yn disgwyl wrtho. Rhywun byr o gorff yn gwisgo siaced liwgar o las a phorffor gyda dwyfronneg arian drosti. Roedd helmed yn cuddio'r wyneb. Safai yno'n berffaith llonydd i ddisgwyl amdanynt.

Safasant am rai eiliadau heb i neb ddweud gair. Yna cododd y ffigur ei feisor ac edrych ar Stwmp.

'Hylô, Meical!' meddai.

Eisteddai'r nyrs yn dawel o flaen ei monitor, ac eisteddai'r tri yr un mor dawedog wrth wely Meical. Doedd dim i'w glywed ond murmur lleisiau yn y coridor a phrysurdeb traed yn pasio ac ailbasio drws yr uned.

'Mae'n werth trio, dyna ddywedodd y doctor,' meddai'i lysdad. 'Siarada di hefo fo, Sandra.'

Plethodd Sandra ei bysedd yn ansicr. Roedd ei theimladau wedi'u hollti rhwng tosturi am gyflwr Meical, a thymer am iddo fod mor ffôl. A beth oedd ganddi i'w ddweud wrth gorff llonydd ynghlwm wrth beipiau a gwifrau? Nid Meical . . . Stwmp . . . oedd yno, ond sypyn gorweddog nad oedd hi'n ei adnabod bellach. Ffŵl fuo fo'n gwrando ar Mastiff. A dyma fo rŵan. Yn y fan yma, a neb yn gwybod beth ddeuai ohono.

'Tria, Sandra,' erfyniodd ei fam.

Cliriodd Sandra ei gwddf a phlygu uwch y gwely.

'Hylô, Meical,' meddai gan geisio gwneud ei llais yn uchel a phendant.

5

'SANDRA!'

Teimlai Stwmp fel petai wedi cael ei gicio'n sydyn egr yn ei frest. Sandra felltith! Beth oedd hi'n ei wneud yma? Dŵad yma i bregethu paid a phaid a phaid eto?

'Be wyt ti . . .?'

Roedd ei dafod yn lletchwith annifyr wrth iddo geisio datrys ei feddyliau chwâl.

Gwenodd Sandra yn gynnil. Ond roedd ei llygaid yn fflachio.

'Ymladd brwydr hefo ti, Meical,' meddai. 'Twpsyn gwirion.'

Fflamiodd tymer Stwmp.

'Pwy wyt ti'n 'i alw'n dwpsyn?'

'Y chdi, siŵr iawn. Mentro'n wirion, a rŵan yli ble'r wyt ti.'

'Ble?'

'Yn dy waed dy hun, siŵr iawn.'

'Ond . . . rwyt ti yma hefyd.'

'Am fy mod i'n trio dy helpu di, dyna pam.'

'Ond be sy wedi digwydd? A pham rydw i yma?'

'Hunllef coma, Meical.'

'Coma?'

Doedd o ddim yn deall. Ond eto, roedd o'n cofio'r lorri a wyneb syn y dreifar, a'r gwrthdrawiad ofnadwy hefyd.

'Coma?' holodd eto.

Ochneidiodd Sandra heb ateb. Yna cododd ar ei thraed a thynnu dagr o'i gwregys. Cnociodd y bwrdd yn awdurdodol â'r carn. Distawodd y siarad a'r gweithio prysur ar unwaith.

'Mae Meical . . . Stwmp . . . wedi'i achub o ddwylo'r microb,' cyhoeddodd. 'Ac mae'r Arf yn ddiogel.'

Ffrwydrodd yr ogof yn orfoleddu swnllyd. Cododd hithau ei llaw i dawelu'r cynnwrf.

'Ond mae'r microb yn dal i gynyddu, ac yn ein bygwth. Bu'r fyddin wen mewn sawl sgarmes yn barod. Ein gwaith ni ydi trwsio'r bylchau, beth bynnag fydd y gost. Ydi'r rhwyd yn barod?'

'Pa fylchau?' holodd Stwmp yn ddryslyd.

'Yr archollion sy'n gollwng y microb trwodd, siŵr iawn,' meddai Sandra'n fyr ei hamynedd. 'Does dim amser i'w golli. Rhaid inni deithio'n ddirgel a chyflym. Y ti a fi, a dau i gludo'r rhwyd.'

Trodd i amneidio at ddau yn yr ogof. Yna cododd ei llais.

'Y gweddill ohonoch chi i ymuno â'r fyddin wen.'

Trodd i wynebu Stwmp unwaith eto.

'Beth gymeri di? Cleddyf 'ta picell?'

'Y fi?'

'O . . . c'mon, Meical,' meddai Sandra'n ddiamynedd. 'Does dim amser i oedi. Rwyt ti mewn perygl.'

Gafaelodd yr un hen hunllef yn Stwmp unwaith eto. Ymladd. Perygl. Microb. Doedd o wedi profi dim arall ers pan ddeffrodd o yn y byd coch, dieithr yma. A dyma Sandra'n ei alw yn dwpsyn ac yn ei orfodi i ufuddhau iddi hi. Pam roedd yn rhaid iddo? Doedd o 'rioed eisio i'w fam ailbriodi, nac eisio Sandra'n hanner chwaer chwaith pan welodd o hi.

'Does arna i ddim eisio.'

'Llwfr?'

Wfftiai llais Sandra'n felys.

'Pwy wyt ti i orchymyn?'

Gwylltiodd Sandra.

'Os mai hynny sy'n dy boeni di, mi adawa i chdi yma. I farw.'

''Sgin ti ddim hawl . . .' cychwynnodd yn gloff.

Ond doedd o ddim am i Sandra feddwl ei fod o'n llwfr.

'Picell,' penderfynodd gan geisio cadw ei lais yn llyfn a dewr.

'Hwda. A gwylia'i gollwng hi.'

Yn fuan, roedd y pedwar ohonyn nhw'n barod wrth geg y twnnel. Cludai Sandra ac yntau ddagr a phicell, a chludai'r ddau arall gleddyfau yn ogystal â rhwyd.

Gafaelodd Sandra mewn cannwyll. Camodd i'r twnnel gan amneidio ar Stwmp i'w dilyn. Roedd o eisio holi a holi a holi. Ond rhwystrai yr awyrgylch pwrpasol ef rhag yngan gair. Dilynodd yn dawedog.

'Sssh!' gorchmynnodd Sandra wedi iddyn nhw gyrraedd yr ogof fechan.

Diffoddodd y gannwyll. Gwrandawodd pawb am amser hir, cyn iddi orchymyn o'r diwedd,

'Agorwch y ceuddrws.'

Ffrydiodd golau trwyddo, ac wedi eiliad ansicr, dringodd pawb allan yn wyliadwrus.

Tynhaodd Stwmp ei afael yn ei bicell wrth ddringo i olau cringoch diwrnod newydd. Aeth ias o gryndod trwy'i gorff. Edrychai pob man yn fwy bygythiol nag o'r blaen. Doedd y coch ddim mor goch rywsut, ac roedd symudiadau rhythmig y coed yn arafach nag o'r blaen. Ac roedd hi'n boeth –yn felltigedig o boeth!

Crwydrodd ei lygaid yma ac acw. Roedd rhwd yn dew ar fonau'r coed a gwawr ddu rhwng gwreiddiau'r glaswellt cringoch. Ac roedd drewdod ysgafn yn gorwedd ar bobman, drewdod a faglai'n 'ych-a-fi' yn ei wddf gyda phob anadliad.

Pan edrychodd i fyny, bu bron iddo â gollwng ei bicell. Roedd haul chwyddedig yn isel uwchben. Mor isel fel y tybiai y gallai ymestyn ei fysedd a chyffwrdd ynddo.

'Be sy'n digwydd . . .?' cychwynnodd Stwmp.

'Y microb sy'n cynyddu,' oedd yr ateb swta. 'Tyrd.'

Estynnai gwastadedd o'u blaenau. Gwastadedd agored heb goeden na thwmpath i dorri ar ei arwynebedd eang, nes y cyrhaeddai at droed mynyddoedd llwm yn y pellter. Safodd Stwmp yn ansicr. Doedd o ddim eisio mentro o gysgod yr ychydig goed o gwmpas y ceuddrws. Roedd o'n ddiogel yno. Ac roedd perygl yn disgwyl amdano ar y gwastadedd. Roedd o'n siŵr o hynny.

'Wyt ti'n dŵad?' holodd Sandra'n ddiamynedd.

Sicrhaodd y dagr yn ei gwregys ac edrychodd arno a her yn ei llygaid.

'Dŵad?' heriodd eto.

'Ydw siŵr,' meddai Stwmp gan geisio ymddangos yn ddi-hid. 'Pa mor bell?'

'Y tu draw i'r mynyddoedd acw,' atebodd gan droi oddi wrtho.

Dilynodd Stwmp hi. Teimlai fel chwannen ar ben bwrdd wrth adael cysgod y coed. Roedd popeth—yr haul boliog, y gwelltglas a'i wreiddiau duon, hyd yn oed yr aer trymllyd—yn ei fygwth. Fe roddai unrhyw beth am gael crafangio'n llwfr i gysgod y coed, a dianc wedyn i ddiogelwch yr ogof o dan y ceuddrws, ac anghofio am bopeth a welsai.

Ond chafodd o fawr o gyfle. Roedd o'n un o'r cwmni, ac fe'i hysgubwyd gyda nhw ar duth cyflym ar draws y gwastadedd. Doedd neb yn siarad gair, dim ond tuthio'n bwrpasol a'u dwylo ar eu harfau, a'u llygaid yn chwilio'r awyr a'r gwastadedd bob cam o'r ffordd.

Pa berygl oedden nhw'n ei ofni? Dechreuodd Stwmp lygadu yr un mor ddyfal wrth duthio gyda nhw. Roedden nhw'n rhedeg heb arafu, a'u traed yn ysgafn ddiflino ar y gwastadedd crin. Pa mor bell eto, meddyliodd yn anobeithiol fel y dechreuodd ei goesau wanhau oddi tano.

Roedd y gwres yn annioddefol. Teimlai ei dafod yn chwyddedig grimp, a llifai'r chwys i lawr ei wyneb. Ceisiodd lyfu'r diferion i leddfu'i syched, ond roedden nhw'n diflannu'n ddim cyn iddo'u blasu bron.

Edrychodd yn obeithiol i gyfeiriad y mynyddoedd, ond ymddangosent yr un mor bell ag o'r blaen. Brathodd ei wefus wrth i bigyn saethu trwy'i asennau. Ceisiodd anwybyddu'r boen. Doedd neb arall am arafu nac ildio o dan wres trymaidd yr haul. Wnâi yntau ddim chwaith. Ddim a Sandra yn tuthio'n gyson gyflym o'i flaen heb ddangos unrhyw arwydd o flinder.

Cynyddai'r brathiadau yn ei ochr. Rhedai chwys i lawr ei wyneb ac yn afon wresog wedyn rhwng crys a chroen. Roedd o eisio tynnu ei siwmper ysgol—a'i grys hefyd. Ond doedd yna ddim amser i wneud pethau felly. Roedd yn rhaid iddo redeg ymlaen.

Ceisiodd fod mor wyliadwrus â'r gweddill o'r cwmni. Tuth ymlaen . . . cipolwg i'r dde, tuth arall . . . cipolwg i'r chwith . . . tuth wedyn ac edrych i fyny. Doedd yna ddim yn ei fyd bellach ond tuth a haul a gwastadedd a brathiad y boen yn ei ochr.

De. Chwith. I fyny. De . . . Oedd yna gysgodion dieithr ymhell bell ar y gorwel? Cysgodion a ehedai'n araf o'r chwith i'r dde, ac yn ôl drachefn fel petaent yn gwylio a disgwyl? Llygadrythodd arnynt. Roedden nhw'n bell, doedden? Yn rhy bell i falio amdanynt.

Ond . . . oedden nhw'n newid cyfeiriad? Rhwbiodd y chwys o'i lygaid er mwyn gweld yn well. Adar mawr oedden nhw, tybed? Wrth gwrs. Yna sylweddolodd yn sydyn na welodd o'r un aderyn yn y byd coch rhyfedd hwn.

'Sandra!' meddai'n floesg.

Nid arafodd Sandra, ond trodd ei phen yn ymholgar.

'Be?'

'Fan'cw. Draw ar y gorwel. Adar?'

Cododd Sandra law i gysgodi'i llygaid. Yna arthiodd orchymyn sydyn. Ar amrantiad roedd pawb yn gwylio gyda hi a'r cynnwrf yn tyfu ar eu hwynebau.

'Dreigiau!'

Dechreuodd calon Stwmp wneud campau afreolus. *Dreigiau*! Lol allan o storïau plant bach oedd y creaduriaid hynny. Ond roedd y cysgodion a oedd mor bell eiliadau'n ôl yn nesáu'n gyflym. Yn gyflym *iawn*! Craffodd arnynt yn syfrdan. Tair draig anferth oedden nhw, ac roedd rhywun yn marchogaeth pob un. Rhoes ei galon dro arall wrth weld yr adenydd gweog, a'r ffroenau a boerai dân.

'Microb! Safwch yn gylch, gefn wrth gefn. Arfau'n barod.'

Roedd llais Sandra'n daer uwch sgrechiadau'r dreigiau wrth i'r tair ehedeg yn gylch araf, bygythiol uwch eu pennau. Yna, gyda sgrech arall annaearol, gollyngodd y creaduriaid eu hunain amdanynt. Rhuodd y tân o'u ffroenau a chleciai eu hadenydd wrth i'w cyflymdra gynyddu.

'Safwch yn gadarn. Peidiwch â tharo tan y funud olaf,' gorchmynnodd Sandra.

Gwegiodd coesau Stwmp a thynhaodd ei afael yn ei bicell. Ond doedd dim amser i wangalonni. Roedd y dreigiau uwch eu pennau, a'r microb ar eu cefnau'n eu gyrru'n wib beryglus i mewn ac allan o gyrraedd arfau'r cwmni.

'Hai!' gwaeddodd Sandra gan daro draig yn ei ffroen danllyd.

Brathodd blaen y bicell i'r croen cennog.

'Hai!' gwaeddodd wedyn gan daro eilwaith.

Yna mygodd y waedd yn ei gwddf wrth i droed ewinog y ddraig afael ynddi. Safodd Stwmp yn syfrdan am ennyd, yna fe'i taflodd ei hun i'w hamddiffyn.

'SANDRA!'

Trawodd i fyny at y ddraig. Brathai blaen y bicell i wydnwch ei chroen cennog heb anafu dim arni. Chwibanai ei sgrechian yn ei glustiau a chyrhaeddai ei hewinedd amdano yntau hefyd.

'Cymera honna . . . a honna,' sgyrnygodd Stwmp rhwng ei ddannedd gan daro'r ddraig drosodd a throsodd.

Daliai Sandra i ymladd ac ymdrechu. Ond roedd ewinedd y ddraig yn tynhau am ei chorff ac yn gwasgu'r anadl ohoni.

Roedd sŵn ymladd ffyrnig o'u cwmpas.

'He . . . el . . . p!' gwaeddodd Stwmp wrth ymladd i ryddhau Sandra.

Ond roedd pawb yn rhy brysur yn ymladd eu brwydrau eu hunain i'w glywed. Doedd neb i achub Sandra ond y fo, sylweddolodd, wrth anelu'r bicell at fol y ddraig â'i holl nerth.

'HAI!'

Fe rwygwyd y waedd o'i ysgyfaint wrth iddo frathu ei bicell yn ddwfn i'r bol croendenau, a llifodd ychydig o waed o'r briw. Carlamai calon Stwmp wrth daro eto ac eto. Sgrechiai'r ddraig yn aflafar wrth i'r microb ei hannog hi'n is ac yn is, nes bod Stwmp o fewn cyrraedd ei gleddyf.

Ac yna, gydag un chwifiad sydyn, trawodd y microb bicell Stwmp o'i fysedd. A'r eiliad nesaf, fe'i cipiwyd yntau gan yr ewinedd miniog a'i garcharu'n sypyn tyn. Tynhaodd yr ewinedd yn gadwynau amdano. Roedden nhw'n brathu i'w gorff, ac yn gwasgu'n annioddefol nes bod ei synhwyrau'n llithro oddi wrtho.

Ceisiodd ymladd yn erbyn y wasgfa ofnadwy. Clywai chwerthiniad gorfoleddus y microb wrth iddo wingo a chicio a dobio'n ofer yn erbyn y droed weog.

Cododd y ddraig yn araf am yr entrychion. Llifodd ei gwaed yn gynnes drosto wrth iddo ymladd i'w ryddhau ei hun. Ond . . . doedd ganddo ddim cleddyf na phicell i daro bellach.

Cofiodd am ei gyllell. Fedrai o ei thynnu o'i

boced? Ymgripiodd ei fysedd yn araf i'w chyfeiriad. Ond roedd yn anodd cyrraedd ati a'r ewinedd mor dynn amdano. Ond roedd yn rhaid iddo gael gafael arni. *Yn rhaid*!

Cripiodd ei fysedd yn nes at y boced. Ai dyma'r boced iawn? Fe deimlodd ei charn. Roedd ei fysedd yn drwsgl frysiog wrth iddo ei thynnu allan. Beth petai'n ei gollwng?

Dyma hi. Roedd hi yn ei ddwylo. Efallai y buasai un trawiad yn ddigon. Pe medrai daro bol y ddraig unwaith eto . . . Ymgasglai tywyllwch o flaen ei lygaid wrth iddo lithro ei ewin yn chwyslyd arni. Ond fe lwyddodd i'w hagor o'r diwedd. Tynhaodd ei fysedd am y carn ac anelodd gyda hynny o nerth oedd ganddo ar ôl.

Diflannodd y llafn i'r bol. Llawenhaodd wrth ei theimlo'n brathu'n ddyfnach i'r cnawd. Yna llonyddodd ei law yn syfrdan. Ffrwydrodd golau glas yn don o'r gyllell a llifo'n afon i'r briw cyn lledaenu'n sydyn hyd fol y ddraig. A gydag un rhech hir swnllyd, fe blygodd, ac fe wagiodd, ac fe ddymchwelodd y corff cennog yn chwysigen lipa. Suddodd tua'r llawr gan gludo Sandra a Stwmp a'r microb gyda hi.

Roedd y gyllell yn fyw yn ei law. Bu bron iddo â'i gollwng wrth i wres tanboeth ymledu trwy'i fysedd, ac i binnau bach drafaelio'n llifeiriant ysgubol ar hyd ei nerfau. Curai'r glesni ohoni.

Disgynnodd Stwmp gyda thwmp anferth i'r ddaear, a phlygodd y croen cennog yn flanced drosto. Am eiliad, teimlai'n rhy wantan i geisio codi. Ymladdodd am ei anadl gan geisio anwybyddu ei asennau briwiedig. Ond beth am Sandra?

'Sandra! Wyt ti'n iawn? Sandra!' gwaeddodd.

Ymladdodd ei ffordd o'r plygiadau myglyd a'r gyllell fyw yn ei law. Rhwygodd y croen drosodd a throsodd wrth chwilio amdani. Canfu hi o'r diwedd yn codi'n simsan ar ei thraed.

'Sand . . .'

Ni chafodd gyfle i ddweud rhagor. Roedd y microb yn codi y tu ôl iddi. Roedd y cleddyf yn ei law, a'i fwriad yn amlwg ar ei wyneb.

'Tu ôl iti. NEIDIA!' gwaeddodd Stwmp.

Nid oedd angen ei rhybuddio eilwaith. Neidiodd llaw Sandra at ei dagr a sbonciodd yn ystwyth i wynebu'r perygl cyn i'r microb brin gychwyn ei ruthr.

Taflodd Stwmp ei hun ymlaen i sefyll ochr yn ochr â hi, ei gyllell yn barod i daro.

'Pwy sydd am farw gynta?' sgyrnygodd y microb.

Symudodd yn gylch gwyliadwrus o'u cwmpas a'i gleddyf yn gwibio tuag atynt. Disgwyliai Sandra ei chyfle. Troai i wynebu'r microb a'i llygaid yn gilagored fygythiol fel y dilynai ei symudiadau. Ceisiai Stwmp fod yr un mor wyliadwrus. Efallai, os rhuthrai'r ddau ohonyn nhw'n hefo'i gilydd . . .?

Yn sydyn, ailboethodd y gyllell yn ei law. 'Tafla fi' oedd ei neges. Ysai ei fysedd am ei charn. Disgwyliodd ei gyfle i'w thaflu'n saeth sydyn sicr at wddf y microb.

Rŵan! Fe'i taflodd. Saethodd o'i law, i anelu'n driw am wddf y microb. Rhoes hwnnw hanner gwaedd, a phesychiad wrth i'w llafn suddo'n ddwfn i'w gnawd. A gydag un ebychiad araf, cwympodd yn gelain wrth i'r curiadau gleision lifo o'r gyllell.

'Diwedd microb arall,' meddai Sandra mewn llais llyfn, diemosiwn.

Camodd ymlaen a thynnu'r gyllell o'r corff.

'Mi fyddi eisio'r Arf,' meddai gan ei estyn iddo, 'a dy bicell hefyd.'

Yna trodd i edrych o'i chwmpas. Roedd y frwydr trosodd. Gorweddai dwy ddraig a'u marchogion microb yn gyrff ar y llawr, tra oedd y drydedd yn ffoi yn y pellter.

Ond roedd cyrff eraill yno hefyd. Cyrff y ddau a gludai'r rhwyd. Ac fe faluriwyd y rhwyd yn rhacs. Am ennyd, safodd Sandra i syllu'n ddistaw arnynt. Yna ochneidiodd a sythu'i hysgwyddau'n benderfynol, cyn troi i edrych i gyfeiriad y ddraig a ddiflannai ar y gorwel.

'Mi fydd honna'n ôl hefo rhagor o'i ffrindiau,' meddai gan fyseddu'i dagr.

Suddodd calon Stwmp.

'Be wnawn ni?' holodd.

'Chwilio am y fyddin wen,' meddai Sandra. 'Ac ymladd y microb i'r eitha.'

Edrychodd i gyfeiriad y mynyddoedd.

'Fan'cw mae'r fyddin wen. Rhaid cychwyn cyn i ragor o ficrob ein bygwth.'

'Ond be am y rhain?' holodd Stwmp a'i lygaid ar gyrff y ddau. 'Fedrwn ni mo'u gadael yn fan'ma.'

'Be arall wnawn ni?' holodd Sandra'n swta.

'Eu . . . claddu?'

Ond fe wyddai Stwmp mai awgrym gwirion oedd o. Doedd ganddyn nhw ddim ond picell a dagr i dorri bedd, a beth os deuai rhagor o ficrob . . .

Syllodd ar ei gyllell. Roedd hi'n farwaidd yn ei law. Cyllell gyffredin oedd hi erbyn hyn, heb sôn am y golau glas na'r nerth rhyfedd a gurodd drwyddi.

'Sandra,' meddai gan ei byseddu'n ddryslyd. 'Mi ddigwyddodd rhywbeth rhyfedd . . .'

'Cadwa'r Arf o'r golwg,' rhybuddiodd Sandra'n chwyrn. 'Mae llygaid y gelyn ym mhobman.'

'Aeth hon drwy gnawd y ddraig fel gwres trwy fenyn,' meddai Stwmp. 'A lladd y microb hefyd.'

Ond doedd gan Sandra ddim amser i wrando.

'Ymlaen. A hynny cyn gynted ag y gallwn ni,' gorchmynnodd gan gychwyn ar yr un tuth cyflym unwaith eto.

Safodd Stwmp am eiliad i edrych ar y cyrff a orweddai ychydig bellter oddi wrth y microb a gweddillion llipa y dreigiau. Doedd o ddim eisio eu gadael yno'n ddiamddiffyn, wrth ochr y gelyn. Ond eto, pwy fedrai aflonyddu arnynt bellach?

Caeodd ei gyllell a'i chadw'n ddiogel yn ei boced, cyn troi a rhedeg ar ôl Sandra . . . ac ymlaen i wynebu'r perygl nesaf. Wedi'r cyfan, beth arall allai o ei wneud?

6

Arafodd Sandra ei thuth cyflym o'r diwedd.

'Mi gawn seibiant yma,' meddai gan lygadu'r pant bas yn y gwastadedd o'i blaen. 'A bwyta hefyd.'

Ochneidiodd Stwmp a'i ollwng ei hun i'r llawr yn ddiolchgar. Roedd ei gorff yn lwmp lluddedig a'i goesau fel darnau o bren anhyblyg. Estynnodd hwy'n flinedig o'i flaen, ac ystyried tynnu ei drênyrs i esmwytho rhywfaint ar ei draed. Ond . . . na, penderfynodd. Roedd angen gormod o ymdrech i ddatod y careiau.

Gorweddodd yn ôl a chau ei lygaid. Mor braf oedd gorwedd yno heb symud, a gadael i'w gorff ymlacio fesul dipyn ar y gwelltglas.

'Hwda!'

Ysgytiwyd ef yn hanner effro.

'Bwyta hwn.'

Sandra! Ond doedd o ddim eisio bwyd, dim ond llonydd. Caeodd ei lygaid drachefn.

'Meical!'

Poenydiai'r llais ef. Pam na châi lonydd ganddo? Cysgu ac anghofio. Dyna beth oedd ei eisio.

'MEICAL! Deffra. Wyt ti'n fy nghlywed i?'

Yn yr ysbyty, plygodd Sandra tros y gwely gan afael yn dynn yn llaw Meical.

'Meical! Deffra. Wyt ti'n fy nghlywed i?'

Oedd o'n ymateb? Am eiliad, fe dybiodd fod cynnwrf dealltwriaeth ar yr wyneb llonydd.

'MEICAL!'

Edrychodd ar ei thad. Roedd o'n gafael yn llaw ei llysfam ac anobaith ar ei wyneb. Fawr o iws, nac ydi, oedd y neges a rannwyd rhyngddynt.

Pam roedd yn rhaid iddi hi drio cymaint rŵan, p'run bynnag? Ceisio procio meddwl Meical fel tasa hi'n ffrind pennaf iddo. Ac yntau wedi'i chasáu hi a'i thad o'r dechrau un. A pha help oedd ganddi hi ei bod yn boblogaidd yn yr ysgol, a Meical yn mynnu hofran ar ymylon popeth? Ei fai o oedd hynny.

Gwasgodd ei llysfam law ei gŵr yn ddagreuol.

'Pam wnaeth o'r ffasiwn beth?' holodd yn anobeithiol.

Ochneidiodd ei gŵr cyn ateb.

'Mentro er mwyn trio profi rhywbeth, efallai, Lena.'

Nodiodd Sandra wrthi'i hun. Ia . . . trio profi'i fod o'n arwr mawr . . . nad oedd o am wrando ar neb . . . yn enwedig ei thad a hithau. Penci! Fuo fo'n ddim ond lwmp o styfnigrwydd er y briodas.

Ond roedd yn rhaid iddi drio gwneud rhywbeth, doedd? Am fod golwg jest â drysu ar ei llysfam, ac am ei bod hithau, er gwaethaf popeth, yn dechrau arfer hefo Meical a'i syniadau twp.

Trodd eto at y gwely.

'MEICAL!'

Poenydiai'i llais ef yn ddidrugaredd. Trodd ysgwydd anfodlon oddi wrtho. Ond roedd Sandra'n benderfynol o'i ddeffro.

'Meical!'

Agorodd ei lygaid yn surbwch.

'Gad lonydd imi, wnei di?'

Roedd Sandra'n dal pecyn bwyd o flaen ei drwyn, ac yn ei annog i godi ar ei eistedd.

Ochneidiodd Stwmp gan ei orfodi ei hun i godi. Estynnodd law lipa am y pecyn a'r botel fechan o ddŵr a gynigiai iddo.

'Mi gei di wylio gynta,' meddai Sandra.

'Gwylio?'

Am eiliad, ni allai ddeall beth roedd hi'n ei feddwl.

'Rhaid i un wylio tra bydd y llall yn cysgu, bydd? Ac mae'n deg i ti gymryd dy dro fel finna. Dy frwydr di ydi hi.'

'O . . . ia.'

Wyddai o ddim pam roedd o'n dweud 'ia' chwaith. Sut oedd modd iddi fod yn frwydr iddo fo? Rhwng microb a byddin wen. Syniad twp. Ond eto, fedrai o ddim peidio â choelio chwaith.

Gwrthododd ddyfalu rhagor. Llymeitiodd y dŵr yn araf bleserus gan ymladd yn erbyn y dyhead i'w lyncu ar un llwnc. Fe ailgrimpiai'i geg cyn ei gwlychu bron. Agorodd y pecyn. Bara sych, a thelpyn o gaws! Doedd fawr o eisio bwyd, ond fe wyddai fod yn well iddo fwyta rhywfaint. Roedd ffordd bell ganddynt eto. Meddai Sandra.

Yr hollalluog ei hun. Yn gwybod popeth. Yn mynnu bosio. Wel, fe ddangosai iddi. Dyna oedd wedi drio'i wneud pan redodd o'r ras iâr, 'te? Dangos i Sandra. Gwgodd wrth iddo'i gwylio yn bwyta'n frysiog, yna'n ei lapio ei hun yn ei chlogyn. Gorweddodd a'i dagr yn barod wrth ei hochr. Ar amrantiad bron, roedd hi'n cysgu'n drwm.

Pam y bu'n rhaid i'w fam ailbriodi? A'i feichio yntau hefo chwaer oedd yn gwybod popeth ac yn gweld bai o hyd? Hy, meddyliodd, gan gofio ei gorchymyn olaf.

'Debyg y medra i ddibynnu arnat ti i gadw gwyliadwriaeth fanwl. Ac i alw os gweli di rywbeth dieithr. *Rhywbeth*! Wyt ti'n dallt? O . . . a deffra fi ymhen yr awr.'

Meistres! Yn taflu gorchmynion i'r chwith a'r dde! Pa hawl oedd ganddi? Ac yn mynd i gysgu wedyn heb falio dim amdano fo.

Teimlai Stwmp ei lygaid yntau'n cau. Cododd yn llesg, a chyrcydu i syllu ar y gwastadedd o gysgod y pant. Doedd dim i'w weld ond gwelltglas cringoch a haul boliog, porffor uwchben. Dylyfodd en a rhwbio'i lygaid i geisio cadw'n effro. Efallai y dylai ddringo allan a cherdded ychydig. Ond roedd pob gewyn iddo'n cwyno hefo'r symudiad lleiaf.

Suddodd ar ei eistedd, a thynnodd y gyllell o'i boced. Syllodd arni'n ddryslyd. Ai dychmygu'r curiadau glas wnaeth o, a'r nerth rhyfedd a lifodd trwyddi? A hithau bellach yn gyllell mor gyffredin.

A pham roedd pawb yn mynnu ei galw'n 'Arf'? A pham roedd y microb eisio cael gafael arni? Ac arno yntau? Hunllef coma oedd y cyfan, meddai Sandra.

Stwffiodd y gyllell yn ôl yn ddiflas i'w boced a gorffwyso'i gefn yn erbyn yr ochr. 'Mhen yr awr, ddywedodd Sandra. Edrychodd ar ei wats. Roedd hi wedi stopio'n siŵr. Tynnodd hi a'i hysgwyd, yna'i dal wrth ei glust. Ond roedd hi'n dal i dician.

Pum munud yn unig a aethai heibio. Ac roedd y munudau nesaf yn ymestyn fel oriau o'i flaen. Trodd a chyrcydu eto i syllu ar y gwastadedd. Dim. Yna crychodd ei dalcen wrth weld niwl yn ymgasglu'n llinynnau symudol yn y pellter.

Syllodd arno'n ddioglyd, a'i lygaid yn cau ar ei waethaf. Neidiodd yn effro drachefn. Roedd yn rhaid iddo wylio'n well na hyn. Byd peryglus oedd y byd coch yma, fe wyddai hynny o brofiad erbyn hyn.

Cofiodd am y niwl unwaith eto. Syllodd arno. Roedd o'n dyfnhau'n gwmwl trwchus ac yn agosáu'n raddol. Efallai y byddai'n gysgod rhag gwres ofnadwy yr haul, meddyliodd yn gysglyd. Ailedrychodd ar ei wats. Aethai deng munud arall heibio. Uffern dân! Roedd angen priciau i gadw'i lygaid yn agored. Poerodd ar ei fys a'u rhwbio. Am eiliad, roedd y gwlybaniaeth yn fendith ar ei amrannau trymaidd. Ond dim ond am eiliad.

Oedd y niwl yn dod yn nes? Yn tyfu? Aeth ias sydyn trwyddo. Ei deffro os byddai rhywbeth dieithr, dyna ddywedodd Sandra. Ac roedd hwn yn ddieithr. Roedd o'n tyfu mor gyflym . . . yn ymledu . . . yn troelli'n gymylau cyflym amdano. Heb chwa o wynt! Neidiodd ei galon i'w wddf.

'PERYGL!' gwaeddodd.

Ar amrantiad ffrwydrodd Sandra o'i chlogyn gan gyrraedd am ei dagr. Ond roedd y niwl wedi'u cyrraedd. Niwl a gaeai'n glòs amdanynt fel na allent weld bys o flaen eu llygaid.

'Ata i,' gorchmynnodd Sandra gan gyrraedd amdano.

Ond roedd yn rhy hwyr. I'r chwith, 'ta'r dde? Ymlaen neu'n ôl? Fedren nhw wneud dim ond baglu'n ddall a phalfalu am ei gilydd heb lwyddo.

'MEICAL! BLE'R WYT TI?'

Fe glywai Stwmp hi'n galw arno. Ond o ba gyfeiriad? Mygai'r niwl trwchus bopeth. Y dde, 'ta'r chwith? Tybiodd iddo weld ei chysgod ar y dde iddo, a baglodd i'w chyfeiriad.

Gafaelodd rhywun yn ei fraich a'i dynnu ymlaen.

'Sandra! Chdi sy 'na?'

Roedd llais ysgafn rywle wrth ei glust. Llais a'i perswadiai i gerdded ymlaen, i ddiogelwch, wrth gwrs. Dilynodd yn ufudd.

'Ffordd hyn.'

Llais Sandra. Craffodd ar y cysgod wrth ei ochr. Ia, Sandra oedd hi. Teimlodd ei llaw yn cyrraedd i mewn i'w boced. Pam, meddyliodd yn ddryslyd. Ond roedd Sandra'n gwenu arno, ac yn ei arwain ymlaen.

'Dim ond cam neu ddau eto, ac mi fyddwn yn ddiogel,' meddai.

Craffodd ar ei hwyneb. Edrychodd ym myw ei llygaid cochion. Coch! Safodd yn stond wrth i sioc ffrydio trwyddo. Llygaid microb oedden nhw!

Lledaenodd ofn trwy'i gorff wrth iddo sylweddoli ei berygl. Tric! Cafodd ei wahanu oddi wrth Sandra. A'r gyllell! Saethodd ei law am ei boced i'w diogelu.

Ond roedd ei boced yn wag. Chwarddodd y microb yn faleisus gan chwifio llaw niwlog o flaen ei lygaid. Roedd y gyllell ynddi.

'Yr Arf? Hwn wyt ti'n chwilio amdano?'

Rhuthrodd Stwmp i'w gyfeiriad. Ond camodd y microb o'r neilltu ar yr union eiliad y gafaelodd ei fysedd yntau am y gyllell. Methodd ag atal ei ruthr gwyllt. Cludwyd ef ymlaen a'i draed yn baglu ar draws ei gilydd. Ceisiodd sgrialu i'w unfan. Ond yn rhy hwyr. Diflannodd caledwch y ddaear o dan ei draed a chwympodd yntau i feddalwch sydyn, gludiog. Suddodd ei draed iddo . . . at ei fferau . . . yn uwch at ei bengliniau. Ceisiodd ddringo'n ôl i ddiogelwch, ond, er ei waethaf, fe suddai'n is ac yn is i wlybaniaeth y gors soeglyd.

Ymdrechodd i godi ei draed, i'w tynnu o'r mwd a lynai mor benderfynol ynddynt. Roedd caledwch diogel y gwastadedd gam i ffwrdd. Ond fedrai o ddim cyrraedd ato. Suddai'n ddyfnach i'r mwd oeraidd gyda phob symudiad.

Chwarddodd y microb unwaith eto.

'Ffarwél, ffŵl,' galwodd yn ddirmygus cyn diflannu fel breuddwyd i ganol y niwl.

Suddai Stwmp er gwaethaf ei ymdrechion. Tynnai'r mwd ef i'w grafangau. Dringai'n raddol i fyny'i goesau, ymlaen tros ei gluniau, ac i fyny wedyn am ei ganol.

'HELP! HELP!'

Crygai'i lais wrth weiddi. Ond doedd neb yn ei ateb. Roedd ym myd unig y gors, ac ar goll yng nghanol y niwl a guddiai bopeth oddi wrtho. Ble'r oedd Sandra? Oedd hi'n ddiogel, ynteu a oedd hithau hefyd yn garcharor rhywle yn y gors?

'HELP!'

Gwasgai'r mwd am ei gorff. Ni fedrai symud. Yn raddol, cyrhaeddodd i fyny at ei frest a suddai yntau'n is wrth iddo wingo ac ymdrechu. Fe ddylai orwedd yn fflat ar yr wyneb i ledaenu'i bwysau. Ond fedrai o ddim a'r mwd yn codi'n araf at ei wddf.

'HELP!'

Ceisiodd orffwys ei freichiau'n ysgafn ar wyneb y donnen. Doedd neb yn unlle i'w achub, meddyliodd yn anobeithiol.

Tybiodd glywed llais pell rywle yn y niwl. Gwaeddodd drosodd a throsodd.

'HELP! HELP!'

Suddodd yn is. Fedrai o ddim ysgwyd a gwingo i geisio dianc bellach. Roedd gafael y donnen yn rhy sicr.

Doedd o ddim eisio marw yn yr hen donnen oeraidd 'ma, heb obaith o ddianc yn ôl i'w fyd ei hun eto. Ceisiodd wthio'i en yn uwch gan gadw'i freichiau yr un mor ysgafn ar y mwd. Ond roedden nhw'n suddo er ei waethaf.

'HELP!'

Llamodd ei galon yn ddiolchgar wrth iddo dybio clywed atebiad gwan rywle yn ymyl.

'SANDRA!'

Daeth gwaedd arall o'r niwl, yn nes y tro yma, a gwelodd gysgod yn brysio tuag ato.

'GWYLIA!' gwaeddodd. 'TONNEN!'

Sgrialodd Sandra gan lwyddo i stopio mewn pryd. Cam arall, ac fe fuasai hithau yn y donnen hefyd. Taflodd ei hun ar ymyl y tir caled a cheisio ymestyn tuag ato.

'Gafael yn fy llaw,' galwodd.

Ond roedd ei freichiau wedi hanner suddo i oerni'r mwd.

'Aros eiliad,' galwodd Sandra eto.

Neidiodd ar ei thraed a thynnu'i dwyfronneg yn frysiog. Gosododd hi ar wyneb y donnen, a bachodd flaenau'i thraed orau gallai mewn twmpath o welltglas crin.

Yna llusgodd ei chorff ymlaen yn araf nes roedd hi'n hanner gorwedd ar y ddwyfronneg. Estynnodd ei dwylo eto.

'Gafaela ynof i,' gorchmynnodd.

Roedd dwylo Stwmp yn wlyb ac oer, a'r teimlad wedi cilio ohonynt. Ond gwasgodd ei ddannedd ac ymdrechu i grafangio'i fysedd ymlaen at eu rhai hi. Suddodd ei ên i'r mwd a dychrynodd wrth ei deimlo yn ei ffroenau. Doedd o ddim am lwyddo, meddyliodd mewn anobaith, wrth i'r donnen ei sugno ef yn is. Un ymdrech arall! Daliodd ei wynt ac estyn ymlaen unwaith eto a'i ên a'i ffroenau'n diflannu i oerni atgas y donnen.

Roedd llais Sandra yn ei annog. Yn ei orfodi i roi un ymdrech arall. Roedd o'n trio . . . trio . . . ond fe wrthodai ei gorff ufuddhau iddo.

Roedd blaenau'i fysedd yn cyffwrdd ei rhai hi. Ceisiodd afael ynddynt, ond gwrthodent ufuddhau. Roedden nhw'n rhy oer. Yn rhy wlyb. Yn rhy farwaidd.

Ymlusgodd Sandra ymhellach ar y ddwyfronneg er bod honno'n dechrau suddo i'r donnen hefyd. Roedden nhw lygad yn llygad bron. Mor agos ac eto mor ofnadwy o bell. Crwydrodd meddyliau Stwmp fel y llithrodd yn is i'r donnen. Roedd o am farw yma—yn y byd coch, rhyfedd hwn. Ac roedd o'n rhy oer a gwlyb i falio bellach.

'Tria, Meical. Mi fedri ond iti drio.'

Roedd llais Sandra'n daer uwch y gwely. Trodd at ei thad.

'Dim iws siarad hefo fo,' meddai. 'Dydi o'n clywed dim.'

Ysgydwodd y meddyg ei ben wrth ddisgleirio golau bychan i lygaid Meical. Yna gwasgodd ei law a gwthio pìn iddi i chwilio am unrhyw ymateb, cyn troi'r gynfas yn ôl i archwilio'r plaster am ei goes a theimlo'r glun yn uwch i fyny.

'Mae ychydig o wres ynddi,' meddai, 'ond mi ddylai'r toriad asio'n iawn. Rydyn ni'n rhoi digon o antibiotig i'w helpu yn ei frwydr. Ond brwydr Meical ydi hi. Rhaid i'w gorff oresgyn yr haint sy'n cerdded ei waed.'

'Ond oes 'na bwrpas siarad hefo fo, doctor?' holodd mam Meical yn ddagreuol.

'Oes siŵr. Does wybod faint mae o'n ei glywed,' oedd yr ateb caredig. 'Ac mae llawer un wedi deffro o goma wrth glywed lleisiau cyfarwydd.'

Amneidiodd at y peipiau a'r diferion hylif a lifai o'r bag plastig uwchben i gefn llaw Meical.

'Ac rydyn ni'n gwneud popeth fedrwn ni.'

Edrychodd ar y tri wyneb poenus.

'Mae eich lleisiau'n siŵr o fod o help, er nad oes ymateb ar hyn o bryd. Ond pwy a ŵyr? Efallai ei fod yn clywed pob gair.'

Camodd Sandra'n nes at y gwely. Yna plygodd yn sydyn, a gorchymyn yn uchel daer.

'TRIA, MEICAL. MI FEDRI OND ITI DRIO!'

Fedrai o ddim cyrraedd dwylo Sandra. Roedd oerni'r donnen wedi meddiannu'i gorff.

'TRIA, MEICAL. MI FEDRI OND ITI DRIO!'

Yn sydyn, cafodd Sandra afael sicr yn ei ddwylo. Ffrydiodd bywyd newydd trwyddo wrth iddi dynhau ei gafael ynddynt ac roedd penderfyniad gwydn ar ei hwyneb wrth iddi blannu ei thraed yn ddyfnach yn y gwelltglas crin.

Gwrthodai'r donnen ei ollwng o'i chrafangau. Brathodd dannedd Stwmp yn frwnt i'w wefus. Roedd ei freichiau bron â hollti'n ddwy—*yn* hollti'n ddwy. Caeodd ei lygaid i geisio lleddfu'r boen.

Ochneidiai'r donnen fel rhywbeth byw wrth iddo gael ei dynnu yn araf ohoni. Daeth ei frest yn rhydd . . . ei ganol . . . ei gluniau. Llithrodd yn anystwyth ar yr wyneb soeglyd.

O'r diwedd, roedd caledwch y gwastadedd o flaen ei lygaid, a'i wyneb yn gorffwys yn ddiolchgar ar y glaswellt cringoch. Rholiodd ei gorff arno a gorwedd yno'n ymladd am ei anadl.

'Oni bai amdanat ti, Sandra . . .' cychwynnodd.

Roedd Sandra'n gorwedd wrth ei ochr a'i brest yn codi a gostwng yn llafurus. Ochneidiodd yn flinedig a chododd ar ei thraed.

'Dim amser i hynna rŵan,' meddai.

Am eiliad, gwyliodd ei dwyfronneg yn suddo'n araf i'r donnen. Yna trodd yn benderfynol.

'Rhaid mynd ymlaen ar unwaith,' meddai.

Yna ystumiodd ei hwyneb yn sydyn.

'Iyc!' meddai. 'Rwyt ti'n drewi, Meical.'

Cododd Stwmp ar ei eistedd ac edrych i lawr arno'i hun. Roedd o'n fwd gludiog o'i ben i'w draed. Ceisiodd rwbio ychydig ohono i ffwrdd, heb lwyddo. Crychodd yntau ei drwyn. Roedd o'n drewi'n uffernol! Arogl hen, hen bydredd.

Rhwbiodd Sandra ei dwylo ar y glaswellt i'w glanhau. Crychodd ei thrwyn eto. Fe lynai'r drewdod wrth ei dwylo hithau hefyd. Ond nid fel y drewdod a lifai'n gymylau o gyfeiriad Meical.

'Gad lonydd,' meddai wrth wylio ymdrechion Stwmp i lanhau ychydig arno'i hun. 'Mi ofala i gadw'n ddigon pell.'

Hanner gwenodd cyn sobri drachefn. Wedi

colli'r rhwyd, doedd ganddynt ddim dewis ond ymuno â gwersyll y fyddin wen cyn gynted ag y medrent.

'Fy nghyllell i!' bloeddiodd Stwmp yn sydyn. 'Mi wnaeth y microb ei dwyn hi.'

'Be?'

Roedd sioc yn amlwg ar wyneb Sandra.

'Mi adewaist iddo ddwyn yr Arf? Y twpsyn blêr!'

'Be fedrwn i'i wneud?'

Roedd llais Stwmp yn surbwch cras.

'Tasat ti wedi cadw gwyliadwriaeth iawn gynnau . . .' brathodd Sandra'n flin. 'Fedrwn ni ddim cau'r bwlch wedi i'r microb ddinistrio'r rhwyd, a rŵan, mae'n rhaid inni achub yr Arf hefyd. Go drapia chdi, Meical! Dy fai di ydi hyn i gyd.'

Roedd ei llais yn llawn bai. Gwylltiodd Stwmp.

'Wnes i ddim gofyn am ddŵad i'r byd felltith 'ma, naddo?'

'Tasat ti heb redeg y ras iâr dwp 'na . . .'

Gwylltiodd Stwmp fwyfwy.

'Arnat ti roedd y bai . . .'

'Hy! Y fi?'

'Ia. Dy dad . . . a chdi . . . stwffio i fywyd rhywun. Roedd Mam a fi'n iawn cynt.'

'Ac mi redaist ras iâr am fod dy fam a Dad wedi priodi? Ffŵl.'

'Ac i . . .'

Caeodd ei geg. Doedd o ddim am gyfaddef ei fod eisio profi pa mor ddewr oedd o iddi hi hefyd. Jest am ei bod hi mor blydi hollalluog!

Trodd Sandra oddi wrtho.

'Tyrd yn dy flaen,' gorchmynnodd yn swta. 'Dy frwydr di ydi hon. Yn dy waed di. Yn dy gorff di. A gwylia golli'r bicell 'na.'

7

Roedd o wedi cael llond bol. Pam roedd yn rhaid iddi faldorddi o hyd mae'i frwydr o oedd hi? Ond, tybed oedd hi'n dweud y gwir?

'Coelia di neu beidio,' meddai Sandra'n ddiflas. 'Yr Arf sy'n bwysig rŵan.'

Trodd i chwilio'r glaswellt am olion traed. Ond roedd y niwl yn bur drwchus o hyd, a doedd fawr ddim i'w weld led troed oddi wrthynt.

'Ond . . .' protestiodd Stwmp.

Ni chymerodd Sandra sylw ohono. Roedd hi'n cyrcydu'n isel uwch y glaswellt ac yn ei archwilio'n araf ofalus.

Dim.

'Damia'r niwl 'ma,' meddai'n flin. 'Tasat ti . . .'

Ystumiodd ei hysgwyddau'n wgus.

Fe deimlai Stwmp fel ffrwydro. Pam oedd eisio rhoi bai arno fo o hyd? Fel y byddai hi gartref. Am eiliad, cododd lwmp i'w wddf. Beth oedd ei fam yn ei wneud rŵan? Oedd hi'n ddigalon wrth ei weld mewn coma fel y mynnai Sandra?

Damia Sandra a'i beio parhaus. Roedd o wedi'i rhybuddio pan welodd o'r niwl, doedd? Ond ddaru fo ddim rhybuddio'n ddigon buan am ei fod o'n methu cadw'n effro.

Llwyddodd i anwybyddu llais bach ei gydwybod. Roedd Sandra'n meddwl mai hi oedd y bòs. Yn gorchymyn a deddfu nes roedd o wedi cael mwy na llond bol. A beth oedd y ffws felltith 'ma ynglŷn â'i gyllell? Cyllell oedd hi, nid arf.

Ond beth am y pwlsadau glas a fu ynddi, a'r nerth rhyfedd? A hi laddodd y ddraig a'r microb. Wrth gwrs, y fo a'i taflodd. Ond y hi ddaru'r gwaith, 'te? Fel gwres trwy fenyn. Ochneidiodd Stwmp.

'Sori, Sandra,' meddai'n gyndyn.

'Ia . . . wel,' meddai honno'n ddigon blin.

Cododd tymer Stwmp eto.

'Ond dydw i ddim yn coelio'r rwtsh 'na am ymladd mewn corff. *Fy nghorff i*! HA!'

Trodd Sandra'n ffyrnig ato.

'Yli, Meical. Dydi o ddim ots gen i os wyt ti'n coelio ai peidio. Rwyt ti yma hefo mi, a dy fai di ydi'n bod ni yn y twll yma rŵan.'

'Pa dwll? Wela i ddim twll,' meddai Stwmp yn wamal gan amneidio ar y tir gwastad o dan eu traed.

Llamodd llaw Sandra am ei dagr wrth iddi rythu arno trwy lygaid cilagored.

'A meddwl fy mod i'n ymladd dy frwydr *di*, y cachgi cegog,' meddai rhwng ei dannedd. 'Os wyt ti eisio marw, marwa 'ta. Rydw i'n mynd.'

Trodd ei chefn arno a chamu 'mlaen i'r niwl.

Dilynodd Stwmp hi'n ystyfnig. Doedd o ddim eisio ufuddhau i Sandra, ond doedd o ddim eisio aros yn y niwl ar ei ben ei hun chwaith.

Anwybyddodd Sandra ef. Cerddodd ymlaen yn ddistaw gan blygu bob yn hyn a hyn i archwilio'r glaswellt. Dechreuodd Stwmp ddifaru. Roedd Sandra wedi ei achub o'r donnen, doedd? Ond roedd yntau wedi'i hachub hithau oddi wrth y ddraig a'r microb hefyd? Cwits! Dyna be oedden nhw. Yn gyfartal. Y fo'n ei hachub hi, a hi'n ei achub o.

Dechreuodd deimlo'n well ar unwaith.

'Sandra!' galwodd yn isel. 'Rydw i'n sori. Wir.'

'Sssh!' meddai Sandra'n sydyn ffyrnig.

Rhewodd Stwmp yn ei unfan. Chwaraeai llewyrch egwan rywle yn y niwl o'u blaen. Tân?

'Microb!' hisiodd Sandra.

Clustfeiniodd Stwmp a'i nerfau'n tynhau gyda phob eiliad hir. Oedd . . . gelyn . . . yna? Daeth tinc isel arf ychydig bellter oddi wrthynt.

'Be wnawn ni?' holodd Stwmp o dan ei wynt.

'Dratia'r niwl 'ma,' meddai Sandra yr un mor ddistaw. 'Rhaid cropian ymlaen i weld. Efallai mai'r rhain ddaru ddwyn yr Arf. Ta waeth . . . marw pob microb.'

Tynhaodd Stwmp ei fysedd ar goes ei bicell. Roedd o'n barod i ymladd i'r eithaf, wrth gwrs ei fod o. Ond efallai bod yna ddwsinau o ficrob? Pa siawns fyddai gan ddau yn eu herbyn? Ond roedd o eisio'i gyllell yn ôl, ac eisio dianc o'r byd uffernol yma hefyd. Llyncodd boer penderfynol.

'Lawr,' gorchmynnodd Sandra. 'A dim smic,' rhybuddiodd.

Ymgripiasant ymlaen. Ysgafnhâi llewyrch isel tân y niwl rywle o'u blaen. Tynhaodd nerfau Stwmp yn annioddefol. Roedd y microb yn disgwyl amdanynt, yn gwybod eu bod nhw yma, ac yn paratoi i ymosod unrhyw eiliad.

'Distaw!' rhybuddiodd Sandra eto.

Rhewodd yn ei hunfan a syllu i gyfeiriad llewyrch isel y tân. Daeth tinc arf sydyn gerllaw, a'r eiliad nesaf amgylchynodd ffigurau aneglur hwy, a bloeddiodd lleisiau croch.

'I'r gad. Marw pob microb!'

Llamodd arfau amdanynt o'r niwl.

MARW POB MICROB?????!

Neidiodd Sandra ar ei thraed.

'Ffrindiau!' galwodd.

'Os mai twyll ydi hyn,' taranodd llais o'r niwl.

'Sandra sy 'ma,' bloeddiodd Sandra'n ôl.

Gostyngodd ei dagr a sefyll i ddisgwyl. Tynhaodd bysedd chwyslyd Stwmp am ei bicell.

Yn sydyn ymddangosodd ffigur aneglur o'r niwl. Rhythodd arnynt am eiliad, cyn taranu chwerthin.

'Fy ngeneth dlos i!' gwaeddodd.

Camodd Michelin tuag atynt, a Mic a Mac wrth ei sodlau. Safai marchog y tu ôl iddynt a'i lygaid yn gwibio'n wgus o Stwmp i Sandra, ac yn ôl drachefn. Ond roedd wyneb Michelin yn un wên fawr wrth estyn ei law tuag at Sandra. Yna . . . safodd yn stond wrth weld Stwmp.

'Microb Mic a Mac, myn uffern i!'

Ysgydwodd chwerthin ei gorff rholiog, ond roedd ei lygaid yn wyliadwrus.

'Mi fuon ni'n chwilio digon amdanat ti wedi'r frwydr,' meddai. 'Ond dyma ti, yn rhyfeddol o fyw ac iach.'

Rhwbiodd ei ên yn ystyriol.

'Rŵan, 'sgwn i sut y digwyddodd hynny? Yyyy?'

Saethodd ei fraich gyhyrog ymlaen a chodi Stwmp nes roedd ei draed yn hongian. Ysgydwodd ef yn gellweirus filain.

'Sut, y crinc diegwyddor?'

Ceisiodd Stwmp agor ei geg i egluro. Ond roedd llaw fawr Michelin yn tynhau'n gortyn am ei wddf.

'Wel . . .?' bygythiodd.

Neidiodd Sandra ymlaen.

'Michelin. Gollwng,' gwaeddodd. 'Yng nghrafangau'r microb roedd o. Fy nynion i ddaru ei achub.'

'Fe . . . lly! A faint o waith achub oedd arno, 'sgwn i?'

'Digon,' meddai Sandra. 'Roedd o ynghlwm ar gludydd, ond i'r microb faglu a'i golli yn y tywyllwch.'

Llaciodd gafael Michelin ychydig. Rhythodd yn hir ar wyneb Stwmp cyn ei ollwng yn sypyn i'r llawr.

'On'd wyt ti'n fachgen lwcus,' meddai mewn llais ystyriol. 'Ond mi fydda i, *Michelin,* yn dy wylio o hyn ymlaen,' rhybuddiodd. 'Ac unrhyw dric . . .'

Tynnodd law ar draws ei wddf.

'Dallt?'

Yna crychodd ei drwyn.

'Be ddiawl ydi'r drewdod 'ma?' bloeddiodd gan edrych ar ei ddwylo, yna'n ôl at Stwmp.

'Mi gafodd ei ddenu i donnen,' eglurodd Sandra. 'Gan ficrob. Cael a chael oedd hi i'w achub.'

'Fe . . . lly,' meddai Michelin. 'Mewn ac allan o drwbl, dwyt?'

Trodd at y marchog a safai'n ddistaw gerllaw.

'On'd ydi, Clem?'

Nodiodd Clem heb ddweud gair.

'Ond mi laddodd Stwmp ddraig a microb,' meddai Sandra.

'Arwr hefyd!' rhyfeddodd Michelin mewn llais llawn amheuaeth.

Yna gwenodd a slapio Stwmp gydag ergyd ar draws ei ysgwyddau.

'Efalla dy fod ti'n "triw bliw" yn y diwedd, fachgen,' meddai. 'Mic! Mac!' bloeddiodd. 'Oes rhew yn eich coesau chi? Pam sefyll fel cyrff yn fan'na? Ceidwad yr Arf ydi hwn, cofiwch.'

Rhuthrodd y ddau ymlaen.

'Ffhiiiwww!'

Camodd y ddau'n ôl fel un.

'Ers faint rwyt ti'n gorff, dywed? Ffiiiiw!'

'Drewi fasach chitha hefyd, tasach chi wedi syrthio i donnen,' gwgodd Stwmp.

Roedd o'n dechrau blino ar y gwasgu trwyn a'r 'Ffiiiwww' tragwyddol. Ond roedd o'n falch o weld Mic a Mac unwaith eto.

Ond fe wyddai fod llygaid amheus Michelin arno o hyd, a llygaid, yr un mor amheus, Clem arno hefyd. Wel, wnaeth o ddim o'i le. Nid ei fai o oedd ei fod yn eu byd rhyfedd nhw. Ac roedd yn hwyr ganddo ddianc ohono hefyd, tasa fo ond yn gwybod y ffordd. Yna, cofiodd am ei gyllell. Edrychodd ym myw llygaid Michelin.

'Maen nhw wedi dwyn fy nghyllell i,' meddai. 'Yr Arf,' eglurodd yn ansicr wedyn.

Ceisiodd ymddangos yn wrol wrth sefyll o flaen Michelin, er bod ei galon yn drybowndio.

'Diar, diar,' meddai Michelin mewn llais melys ond bygythiol. 'Blerwch ar ôl blerwch ydi dy hanes di ynte?'

Gafaelodd yn sgrepan Stwmp a'i dynnu'n goesau a breichiau anewyllysgar at y tân.

'Rŵan. Ychydig o eglurhad, os gweli di'n dda. Os oes gen ti eglurhad, ynte?'

8

'Felly,' meddai Michelin, wedi i Stwmp adrodd yr hanes o'r dechrau i'r diwedd.

Fe ddisgwyliai Stwmp am ychydig o gyd-ymdeimlad, ac ymddiheuriad am iddo ei amau, efallai. Ond yn ofer. Doedd Michelin ddim am blygu modfedd.

'Efallai'r gwir, efallai ddim,' meddai.

'Ond mae Sandra'n ategu . . .'

'Mae modd twyllo, does?' oedd yr ateb swta.

Trodd i alw ar ei feibion.

'Mic! Mac! Tynnwch y dillad od 'ma sydd ganddo, a rhowch arfwisg iddo. Rhaid diodda'r drewdod. Does dim dŵr i'w sbario.'

Gwyliodd Mic a Mac yn arwain Stwmp i ffwrdd, yna trodd i alw'n isel.

'Clem!'

Brysiodd y marchog ato.

'Ia?'

Am eiliad, syllodd Michelin arno heb ddweud gair a'i feddwl yn gwibio. Os mai microb oedd Stwmp, roedd angen i rywun gadw llygad barcud arno. Ond, os mai Ceidwad yr Arf oedd o, ac wedi crwydro o goma, roedd yn rhaid ei ddiogelu. A phwy yn well na Clem, un o'i brif farchogion?

'Gwylia fo pob cam o'r ffordd,' gorchmynnodd. 'Ac os . . . !'

Tynnodd fys ar draws ei wddf.

'Wrth gwrs, Michelin.'

Gwenodd Clem yn esmwyth. Syllodd y ddau ar ei gilydd gan ddeall yr awgrym i'r dim. Yna, gyda nòd gadarnhaol, trodd Clem i ddilyn Mic a Mac a Stwmp.

'Dydw i ddim am dynnu'r un cerpyn,' mynnodd Stwmp.

Llygadodd yr arfwisg yn guchiog.

'Nac am wisgo honna chwaith.'

'Faint o fet?' holodd Mic gan rwbio'i ddwylo'n ddisgwylgar.

'Ia . . . faint o fet?' adleisiodd Mac yr un mor ddisgwylgar.

'Wna i ddim.'

Yr eiliad nesaf, neidiodd y ddau arno. Trodd yntau i ddianc. Ond ni chafodd gyfle. Heb wybod sut bron, roedd o ar wastad ei gefn ar y glaswellt, a Mic a Mac yn taflu ei ddillad i bob cyfeiriad. Siwmper a thrywsus a chrys. Roedden nhw i gyd ar lawr mewn byr amser, ac yntau'n hanner porcyn gwgus rhyngddynt.

Twt twtiodd Mac wrth edrych arno.

'Tila, tydi?' meddai wrth ei efell.

'Dim cyhyrau,' ategodd Mic gan lygadu breichiau Stwmp ac ysgwyd ei ben yn feirniadol.

Gwgodd Stwmp fwyfwy. Roedd o wedi cael mwy na llond bol ar bopeth. Ofynnodd o ddim am gael dŵad i'r byd coch felltith yma. A doedd o ddim yn coelio'r rwtsh am fyd y gwaed chwaith.

'Galwa ar Sandra. Efalla bod chwyddwydr ganddi,' meddai Mac.

Pam roedden nhw'n chwerthin? Doedd ganddo ddim help mai corff tenau, byr oedd ganddo. Gwylltiodd yn gacwn. Beth oedd ots am ei faint? Y penderfyniad y tu mewn oedd yn bwysig. Y penderfyniad a wnaeth iddo redeg y ras iâr. Penderfyniad cystal ag unrhyw blydi marchog. Cystal â Sandra hefyd, ond ei bod hi'n mynnu bod yn feistres. Caeodd ei ddyrnau a thaflu ei hun ymlaen.

'Wow! Mae o'n brathu!' gwaeddodd Mic. 'Rhed!'

Hyrddiodd Stwmp ei hun amdano. Ond fe'i hataliwyd gan fraich gref Clem.

'Dyna ddigon,' dyfarnodd hwnnw'n ffyrnig. 'Chwarae plant ydi peth fel hyn.'

Ymsythodd Mic a Mac ar unwaith.

'Sori, Stwmp,' meddai Mic.

'Finna hefyd,' ategodd Mac.

Daeth direidi i lygaid Mac.

'Cawr o gorff gen ti,' meddai.

'Y mwya cyhyrog welais i 'rioed,' meddai Mac yn or-edmygus.

Cyfarfu llygaid y tri. Am eiliad, ceisiodd Stwmp reoli'i wylltineb. Yna, wrth weld y direidi cyfeillgar ar eu hwynebau, ildiodd.

'O . . . uffern dân! Mi wisga i'r blydi arfwisg,' meddai.

Anghofiodd ei dymer wrth iddo afael ynddi. Roedd hi'n drwsgl, ond yn ysgafn fel pluen, darganfu'n ddiolchgar. Gwisgodd hi'n afrosgo. *Roedd hi'n rhy fawr! Lot yn rhy fawr!* Fedrai o ddim cerdded cam heb iddi ruglo fel cawod o hoelion ar do sinc. Ac fe fynnai'r feisor syrthio dros ei lygaid o hyd.

'Marchog o'r radd flaena,' meddai Mic.

Rhoes winc sydyn ar ei frawd.

'Angen ceffyl arno rŵan, does?'

'Ceffyl?'

Syrthiodd calon Stwmp i'w sgidiau. Doedd yna ddim diwedd ar ddioddef yn y byd 'ma.

Yna fe gyrhaeddodd Michelin. Disgynnodd ei ên braidd wrth ganfod y pentwr arfwisg yn rhuglo a thincian o'i flaen. Gwenodd yn gynnil.

'Rhy fach ydi hi, Stwmp?'

Gwgodd Stwmp rywle y tu ôl i'w feisor. Roedd o'n teimlo fel llabyddio'r blydi lot ohonyn nhw. Ond roedd penderfyniad newydd yn ffrydio trwy'i gorff. Doedd o ddim am fynd o dan draed neb. Ddim hyd yn oed Michelin.

'Mae o'n dal ei dir,' cysurodd y meddyg. 'Mae'r penderfyniad yna,' cysurodd wedyn.

Brathodd Sandra ei gwefus wrth droed y gwely. Gobeithio bod y meddyg yn dweud y gwir, meddyliodd.

Caeodd ei llygaid ac ewyllysio.

'Plîs, Meical. Tria dy orau. Maga benderfyniad. Rydyn ni i gyd yma yn disgwyl.'

Edrychodd Stwmp i lawr arno'i hun. Roedd o'n gwybod ei fod yn edrych yn ffŵl yn yr arfwisg. Corff mewn pentwr o sgrap, dyna beth oedd o.

'Dydw i ddim 'i heisio hi,' meddai'n gadarn.

Tynnodd hi'n benderfynol a'i gollwng yn sypyn swnllyd wrth ei draed.

'Hm! Ia,' meddai Michelin yn synfyfyrgar, a'i lygaid ar y pentwr dillad drewllyd. 'Rhowch diwnig iddo dros y trôns 'na.'

Trodd i afael yn ffrwyn ei geffyl.

'Mae'r Arf yng nghaer y microb erbyn hyn,' meddai. 'Ac yn nwylo Mastiff.'

Agorodd ceg Stwmp i holi, 'Pam Mastiff?'

Ond marchogodd Michelin ei geffyl ac estyn ei law i godi Sandra y tu ôl iddo heb oedi rhagor.

'Ymlaen!' galwodd gan sbarduno'i geffyl i garlam.

'Hwn yn iawn iti, Stwmp?' holodd Mac gan arwain ceffyl bywiog tuag ato.

'Eisio cletshan?' bygythiodd Stwmp yn ffyrnig.

'Dim ond gofyn?' meddai Mac yn wên-deg.

Galwodd Michelin arnynt o'r pellter.

'Fechgyn! Llai o wamalu,' rhuodd.

'Dad wedi llyncu llew,' sylwodd Mic.

Ond gafaelodd yn y ceffyl a'i farchogaeth yn ufudd. Neidiodd Mac ar ei geffyl yntau.

'Hyp!' meddai gan estyn ei law i godi Stwmp y tu ôl iddo.

Edrychodd Stwmp yn betrusgar arno. Doedd ganddo ddim awydd reidio ceffyl, hyd yn oed os oedd rhywun arall yn llywio.

'Ty'd 'laen, mêt! Wnaiff o ddim brathu.'

Roedd llygaid Mac yn llawn direidi wrth edrych i lawr arno. Ac yn erbyn ei ewyllys, fe wenodd Stwmp yn ôl.

Gafaelodd yn llaw Mac a dringo rywsut rywsut i eistedd y tu ôl iddo, a rhoes ei freichiau'n dynn gadarn am ei ganol wrth i'r ceffyl gael ei sbarduno i garlam.

Cyflymai'r gwastadedd o dan garnau'r ceffylau. O dipyn i beth, dechreuodd Stwmp arfer marchogaeth er bod ei ben-ôl yn gleisiau byw ers meitin.

Duodd y wybren yn raddol uwch eu pennau wrth i'r haul boliog, porffor suddo'n is ar y gorwel. Roedd pobman yn ddistaw o'u cwmpas, a chynyddodd y gwres gan orwedd yn drwm arnynt.

Carlamodd Michelin ymlaen heb arafu. Erbyn hyn roedd ychydig dwmpathau o goediach isel yn torri ar wagedd di-ben-draw y gwastadedd. Tywyllodd pobman yn raddol. Yn fuan, bu'n rhaid arafu'r carlamu gwyllt er mwyn osgoi'r twmpathau wrth iddynt amlhau.

'Mi gawn wersylla noson o dan y coed acw,' galwodd Michelin uwch dwndwr y carnau.

Cododd law i'w hatal o'r diwedd.

'Byddwch yn wyliadwrus a pharod,' gorchmynnodd, cyn eu harwain yn araf i gysgod y coed.

Disgynnodd Stwmp yn ddiolchgar i'r llawr. Ystumiodd wrth i glymau chwithig wasgu ei goesau. Rhwbiodd i geisio ystwytho ychydig arnynt, ond roedd pob cam yn boenus iddo. Ochneidiodd. Ei unig ddymuniad oedd cael gorffwys ac anghofio am ficrob a byddin wen a Sandra a phopeth.

Sandra! Gobeithio ei bod hithau'n gleisiau a chriciau drosti, meddyliodd yn sur. Roedd hi'n rhy glyfar o lawer. Wedi bod felly o'r funud y daeth hi a'i thad i fyw gyda'i fam ac yntau. A ddaru hi ddim trio cuddio'i diflastod hefo'i chartref newydd chwaith. Wel roedd hi a'i thad yn lwcus o gael byw hefo nhw, doedden? Snichan o hogan!

'Hei, diogyn!' galwodd Mic. 'Paid â chlertian yn fanna. Mae gwaith i'w wneud.'

Ochneidiodd Stwmp a chodi'n anfodlon.

'Pa waith?' holodd.

Pwniodd Mic ei frawd.

'Rhwbio'r ceffyl 'ma. Pen, traed, cefn . . . y cwbl,' meddai gan wenu'n slei.

'Ei rwbio fo? Y fi?' holodd Stwmp yn anghrediniol.

'Neb arall,' oedd ateb sobor Mic.

'O . . . uffern dân,' cwynodd Stwmp o dan ei wynt.

Roedd reidio'r creadur yn ddigon, heb sôn am ei goluro hefyd. Symudodd yn ansicr at ben y ceffyl a'i lygadu wyneb yn wyneb. Edrychodd y ceffyl yn ôl heb ronyn o ddiddordeb. Efallai ei fod o'n reit llonydd a chyfeillgar, penderfynodd Stwmp.

'Cicio dipyn bach, wrth gwrs. A brathu hefyd,' meddai Mic.

'Mae o'n iawn ond iti ganu iddo fo,' ychwanegodd Mac.

Disgynnodd gên Stwmp.

'Canu?'

'Ia. "Gee Geffyl Bach". Mae o'n dwlu ar honno. Ond iti beidio'i bloeddio hi yn ei glust o.'

Chwiliodd Stwmp eu hwynebau am arwydd mai tynnu coes oedden nhw. Ond roedd wyneb y ddau mor sobor â sant!

'Hwda'r brws. Cofia di rŵan. "Gee Geffyl Bach".'

Cerddodd y ddau ymaith bron â ffrwydro gan chwerthin, gan adael Stwmp â'r brws yn ei law.

Edrychodd ym myw llygaid y ceffyl unwaith eto. Gallai daeru bod golwg maleisus ynddynt erbyn hyn. Os oedd canu am swyno tipyn arno, ffwrdd â hi! Llyncodd boer anghysurus a dechrau mwmian canu.

Daeth piffian chwerthin o rywle ar y dde iddo, a throdd i weld Mic a Mac yn cofleidio'i gilydd a'r dagrau'n llifo i lawr eu hwynebau.

'O . . . glywaist ti o?'

'Gee-e Ce-eeff-yl Ba-aa-ch!' llefodd Mac a bloeddio chwerthin eto.

'Uffern dân!' brathodd Stwmp gan deimlo fel ei gicio'i hun am fod yn gymaint o ffŵl.

Yn erbyn ei ewyllys bron, dechreuodd wenu. Jôc ydi jôc, 'te? Ac efallai mai ei dro ef fyddai hi y tro nesaf!

Yna gwgodd wrth weld Mic a Mac yn sefyll yn gyfeillgar hefo Sandra. Roedd eu breichiau amdani a'r tri ohonyn nhw'n siarad geg yn geg. Gwasgodd ei ddyrnau a saethodd pigyn cenfigennus trwyddo wrth edrych arnynt. Beth ddigwyddai tasa fo'n rhoi ei fraich amdani fel roedd o wedi dychmygu gwneud unwaith neu ddwy gartref? Cletshan? A doedd o ddim eisio gwneud, p'run bynnag.

Trodd yn bwdlyd. Eisteddai Michelin a Clem ochr yn ochr ychydig bellter oddi wrtho. Roedden nhw'n sgwrsio'n ddwfn am rywbeth. Edrychodd Stwmp trwy gil ei lygad. Clustfeiniodd yn sydyn. Roedd o bron yn siŵr iddo glywed ei enw.

Edrychodd o'i gwmpas. Roedd Sandra'n dal i siarad hefo Mic a Mac, ac yn chwerthin! Jocian amdano fo, debyg. Damia nhw os oedden nhw'n dweud am y canu wrthi. Doedd o ddim eisio ymddangos yn ffŵl iddi. Sgiaman! Wnâi hi ddim ond edliw. Ac nid edliw oedd o'i eisio ganddi—ond cymeradwyaeth. Ond fuasai o byth yn cyfaddef!

Edrychodd i gyfeiriad Michelin a Clem eto. Yna cerddodd yn araf ddibwrpas tua'r coed. Ac wedi cyrraedd eu cysgod, symudodd yn gyflym a chyrcydu'n ddirgel y tu ôl i'r ddau.

'. . . Stwmp? Beth wyt ti'n ei feddwl, Clem?'

'Ysbïwr microb ydi o. Gwell ei ladd, a darfod arni. Dydi o'n ddim ond perygl inni.'

'Hmmm!'

Roedd llais Michelin yn amheus.

'Ond beth os mai Ceidwad yr Arf ydi o? Yr Arwr?'

'Dim peryg,' meddai Clem. 'Fedrwn ni ddim ymddiried ynddo fo. Edrych pa mor rhwydd y collodd yr Arf. Esgus i guddio twyll.'

'Mi gawn weld,' meddai Michelin yn feddylgar. Bodiodd ei ddagr. 'Os mai microb ydi o, mi gaiff flasu'r dagr yma. Ond os mai ef yw'r gwir Geidwad, rhaid ei amddiffyn i'r eithaf.'

Aeth Stwmp yn groen gwydd trosto a chiliodd ymhellach i gysgod y coed. Doedd o'r naill na'r llall. Ddim yn ficrob, nac yn Geidwad yr Arf chwaith. Stwmp, Meical Llwyd, dyna pwy oedd o. Ac wedi'i daflu i fyd dieithr, coch. A chyllell gyffredin gollodd o. Anrheg gafodd o gan ei daid. Ac eto . . .! Cofiodd am y pwlsadau glas a'r nerth rhyfedd a fu ynddi.

9

'Rhaid ymosod,' meddai Michelin, 'a hynny'n fuan.'

Nodiodd y gweddill gan dynhau eu gafael ar eu harfau.

'Iawn,' cytunodd Sandra. 'Ond mi fydd rhagor o'r haflug felltith ar ein pennau ni. Maen nhw wedi dinistrio'r rhwyd.'

Chwarddodd Michelin yn ddwfn.

'Fydd 'na'r un o'r giwed yn fyw wedi i mi orffen hefo nhw,' haerodd. 'A mater bach fydd gwau rhwyd arall—ond inni adennill yr Arf.'

Ciledrychodd ar Stwmp.

'Biti na fuasai rhai pobl yn fwy gofalus,' meddai.

Chwarddodd eto a rhoi slap anferth i Stwmp ar ei ysgwyddau.

'Ond rwyt ti'n ymladdwr heb dy ail, dwyt? Yyy?'

Nodiodd Stwmp yn annifyr. Roedd o'n cofio bygythiad Michelin—y bys arwyddocaol hwnnw ar draws ei wddf, a'r sôn am ddagr wedyn hefo Clem.

'Barod, Meical?'

Gwenodd Sandra'n gyfeillgar arno. Gwgodd Stwmp. Digon hawdd iddi hi wenu. Doedden nhw ddim yn ei hamau hi. Trodd oddi wrthi'n flin.

'Os mai fel'na rwyt ti'n teimlo . . .' galwodd Sandra ar ei ôl, cyn iddi hithau droi i ffwrdd yr un mor flin.

Doedd dim ots gan Stwmp. Ei bai hi oedd y cyfan. Eisio dangos ei bod hi'n medru awdurdodi ac ymladd, a chael hwyl am ei ben o, Stwmp, am ei fod o'n fach ac eiddil. Wyddai o ddim be welodd ei fam yn ei thad chwaith. Dau ar draws tŷ rhywun heb angen.

Boddodd mewn hunandosturi am eiliad. Dyma fo yn y byd annifyr, coch 'ma, heb 'run syniad sut y daeth o yma, na sut i ddianc chwaith. Ond roedd o'n mynd i ymladd ei ffordd oddi yma, ac yn ôl, rywsut rywfodd, i'r byd cyfarwydd a adawodd. Ac roedd o am ddechrau hefo'r ymosodiad yma ar gaer y microb, ac am adennill ei gyllell. A doedd ots faint o barablu am Arf wnaen nhw, ei gyllell o oedd hi, a doedd neb . . . *neb* . . . yn mynd i'w dwyn oddi arno.

'Rhaid gadael y ceffylau,' gorchmynnodd Michelin, 'ac ymosod cyn i'r microb sylweddoli'u perygl.'

Edrychodd o un i un.

'Pawb yn barod? Stwmp hefyd? 'Ta wyt ti wedi magu calon wan?'

'Fy nghyllell i ydi'r Arf. Mae gen i hawl i ddŵad,' meddai Stwmp yn benderfynol.

Syllodd Michelin arno am eiliad hir.

'Ia,' meddai'n gyndyn o'r diwedd. 'Efallai mai ti piau'r Arf.'

Trodd ar ei sawdl. Dilynodd Stwmp ef yn benderfynol, er bod ei galon yn mynnu suddo i'w sgidiau.

'Hwyl, 'te?' meddai Mic wrth ei ochr. 'Mi chwalwn ni nhw i ebargofiant, mêt!'

'A'u caer hefo nhw hefyd,' chwarddodd Mac.

Rhoes bwniad sydyn i Stwmp.

'Chefaist ti ddim gymaint o hwyl ers tro, naddo?'

Nodiodd Stwmp a gwenu'n salw. Hwyl? Roedd

eisio dadansoddi pennau'r efeilliaid am alw hyn yn . . . *hwyl*! Dilynodd eu camau'n wyliadwrus trwy'r mân goediach nes agosáu at y gaer.

'I lawr,' hisiodd Michelin yn gras wrth iddynt sefyll yng nghysgod y twmpathau dryslyd a estynnai hyd at y muriau.

Ufuddhaodd pawb ar unwaith. Syllodd Stwmp yn syfrdan ar y muriau uchel. Gwgai eu meini surbwch yn ddi-fwlch arnynt, ac eithrio un ffenestr fechan ymhell uwchben. Edrychodd Stwmp i fyny arni a dychmygodd fod llygaid milain microb yn syllu'n ôl.

Suddodd ei galon. Fedren nhw byth gael mynediad i gaer mor gadarn, heb sôn am ymladd y microb oedd ynddi.

Trodd i fynegi ei ofnau wrth Mic a Mac. Ond roedd gwên lydan ar wyneb y ddau.

'Grêt, 'te?' sibrydodd Mic. 'Mi gnociwn ni nhw a'u caer yn shwrwd, was!'

'Hefo be, y lembo?' sibrydodd Stwmp yn bigog yn ôl.

'Duw, gwranda arno fo,' meddai Mac yr un mor isel. 'Ailfeddwl, Stwmp?'

'Nac ydw siŵr,' haerodd Stwmp. 'Defnyddio synnwyr cyffredin. Mae eisio peiriant i fylchu'r rheina.'

'Ddim i Michelin,' meddai Mic.

'Dydi hwnnw ddim yn ddewin chwaith,' meddai Stwmp wrtho'i hun.

Gorweddasant yno'n llonydd am eiliadau hir tra archwiliai llygaid Michelin bob metr o'r muriau cadarn. Yna nodiodd.

'Dilynwch fi,' gorchmynnodd.

Disgynnodd ar ei fol a chrafangio ymlaen trwy'r coediach. Daeth ysfa chwerthin ar Stwmp wrth weld ei gorff rholiog yn llithro fel rhyw falwoden wen, anferth trwy'r brwgais. Ond cafodd hergwd sydyn.

'Symud hi,' meddai Mic.

'Ia. Rho draed arni,' meddai Mac.

Crafangiodd y ddau heibio iddo.

Roedd Sandra ar y blaen gyda Michelin a Clem. Eisio dangos pa mor ddewr ydi hi, meddyliodd Stwmp yn sur, cyn dechrau crafangio'n egnïol wrth sodlau'r efeilliaid.

Yn fuan roedd chwys yn llifo i lawr ei wyneb. Ond brathodd ei wefus rhag cwyno. Roedd yn brafiach mewn tiwnig nag mewn arfwisg, penderfynodd yn ddiolchgar gan giledrych ar Mic a Mac. Roedd feisor y ddau ar agor a'u hwynebau'n wresog fflamgoch.

'Pam na thynnwch chi'r tuniau pys 'na?' holodd yn slei.

'Eisio ffeit?' holodd Mac. 'Wedi inni drechu'r microb, wrth gwrs.'

Gwenodd Stwmp. Rhyfedd—roedd o'n dechrau mwynhau ei hun.

Tywynnai'r haul yn ddieflig uwchben. Llosgai'r gwres trwy ei ddillad a'i groen gan dynnu'r diferion olaf o leither o'i gorff. Gwingodd yn anniddig wrth i'w nerth ddechrau pallu. Roedd pob cymal iddo'n boddi mewn gwres.

Roedd wyneb Stwmp yn wridog gan wres. Plygodd y nyrs trosto.

'Mae o'n gwaethygu, tydi, nyrs?' meddai ei lysdad yn dawel.

Gwasgodd law ei wraig tra syllai'r ddau ar y corff llonydd yn y gwely.

'Mae'i wres o ychydig yn uwch,' oedd yr ateb gofalus. 'Ond mae'r antibiotig yn siŵr o'i ostwng.'

Gobeithio, meddai wrthi'i hun wrth ddychwelyd at ei desg.

'Peidiwch â phoeni . . .' llyncodd Sandra boer anghysurus '. . . Mam. Mae o'n siŵr o wella, gewch chi weld.'

Fe deimlai'n lletchwith wrth lefaru'r gair 'mam'. Nid ei mam hi oedd hi, ond mam Meical. Ond un teulu oedden nhw bellach er pan briododd â'i thad. Ac roedd mam Meical wedi trio'i gorau. Bod yn gyfeillgar, a rhoi amser iddi hithau a'i thad hefo'i gilydd . . . yn breifat . . . weithiau. Meical oedd y drwg yn y caws. Wedi'u casáu nhw o'r dechrau. Ac eto . . . roedd hi wedi cynhesu tuag ato unwaith neu ddwy, bron wedi'i licio o ddifri a dweud y gwir, tasa fo'n llai pigog.

Gwyliodd y nyrs hwy o'r ddesg. Roedd hi'n ymwybodol fod tensiynau cudd rhwng y tri ohonynt. Rhyw dyndra na fedrai hi roi'i bys arno. Dychwelodd ei llygaid at y monitor. Fedrai hi wneud dim ond gwylio a gobeithio, meddyliodd. Fel y gwnaeth hi hefo llawer i glaf o'r blaen.

Roedd Stwmp yn laddar o chwys wrth grafangio ymlaen ar ei fol. Teimlai'n benysgafn chwil. Petai ond yn cael aros am ychydig; jest seibiant bach i gael ei wynt ato.

Yna arhosodd Michelin. Cyrcydodd am ennyd cyn neidio ar ei draed a'u harwain tuag at y mur agosaf. I be? Doedd yna'r un bwlch ynddo.

Ond rhedodd Michelin yn syth at lecyn

arbennig. Yno, roedd maen ychydig yn wahanol ei liw i'r gweddill. Chwaraeodd ei fysedd yn ôl ac ymlaen trosto nes y daeth clic ysgafn. Llithrodd y maen o'r neilltu i ddangos twnnel wedi'i oleuo, a arweiniai i grombil y gaer. Am eiliad gwenodd Michelin mewn boddhad.

'I mewn â ni,' meddai'n dawel cyn eu harwain ar ruthr gwyllt i'r twnnel, a Sandra wrth ei gwt.

Dilynodd Stwmp hwy. Ond mae popeth yn rhy hawdd, meddyliodd yn sydyn. Ble mae'r microb? Does neb yn amddiffyn y twnnel. Pam? *Trap ydi o*! Ymaflodd ym mreichiau Mic a Mac.

'ARHOSWCH!' gwaeddodd. 'Beth os mai trap. . .?'

Ond roedd ei rybudd yn rhy hwyr i atal pawb. Wrth i Michelin a Sandra redeg ar hyd y twnnel, llithrodd carreg enfawr o'r neilltu o dan eu traed. A'r eiliad nesaf, fe ddisgynnodd y ddau'n bendramwnwgl trwy'r twll, ac i'r gwagedd islaw, gan adael Clem yn simsanu ar ei ymylon.

Neidiodd yn ei ôl a'i wyneb yn syfrdan. Rhuthrodd y gweddill ymlaen fel un. Ond fe lithrodd y garreg yn esmwyth ar gau yn union wrth iddynt gyrraedd ati. Doedd dim i'w weld bellach ond wyneb llyfn y llwybr, na dim i'w glywed ond distawrwydd llethol a bwysai'n annioddefol ar eu clustiau.

Penliniodd Clem i archwilio'r garreg. Ond er iddo bwyso ei fysedd arni, ac ailfodio yma ac acw droeon, nid oedd modd ei hailagor drachefn. Plygodd yn isel trosti.

'Michelin! Sandra!' gwaeddodd.

Gwrandawodd pawb, ond ni ddaeth smic o'r guddfan islaw.

'Be wnawn ni rŵan?' holodd Stwmp yn syn.
Roedd pawb yn edrych arno.
'Uffern dân!' meddai Mic a'i lygaid fel soseri. 'Sut gwyddet ti, Stwmp?'
'Ia . . . sut?'
Roedd llais Clem yn gras wrth iddo syllu ar Stwmp. Gwibiodd ei law at ei ddagr.
'Sut, Stwmp?' holodd yn fygythiol.
Ciliodd Stwmp gam.
'Be wn i?' meddai gan geisio ymddangos yn ddewr. 'Rhy hawdd oedd pethau, 'te?'
'Rhybuddio'n rhy hwyr, doeddet?' sgyrnygodd Clem.
Camodd Mic rhyngddynt.
'Mi fuaswn i'n trystio Stwmp yn rhywle, Clem.'
'Mwya ffŵl chdi,' meddai hwnnw rhwng ei ddannedd.
'Ond mi geisiodd rybuddio . . .'
'O . . . do. Pan oedd hi'n rhy hwyr. Os ydi o mor effro i berygl, mi gaiff ein harwain ymlaen,' meddai Clem. 'Gan ddechrau trwy gamu ar y garreg symudol yma.'
Tynnodd ei ddagr.
'Dy holl bwysau rŵan.' Amneidiodd â'i ddagr. '*Neidia* arni hi.'
Gwenodd yn filain.
'Efallai yr agorith hi unwaith eto . . .!' Lledaenodd ei wên. 'Ac y syrthi *di* trwodd.'
'Ond . . .' protestiodd Stwmp.
Caeodd ei geg. Roedd dagr Clem yn brathu i'w asennau, er gwaethaf protestiadau Mic a Mac.
'Cychwyn hi, y cachgi!'
Doedd gan Stwmp ddim dewis. Roedd wyneb

Clem yn benderfynol y tu ôl iddo. Camodd ymlaen yn ofnus gan ddisgwyl i'r garreg ei ddymchwel yntau i grombil y ddaear oddi tanodd.

'Neidia arni hi!'

Pwysai'r dagr yn drwm yn ei ochr. Curai ei galon, caeodd ei lygaid a . . . neidio!

Dim. Ni ddigwyddodd dim. Ffrydiodd rhyddhad trwyddo, ac ymlaciodd yn ddiolchgar.

'Od . . . ynte?' sylwodd Clem yn filain.

Trodd Stwmp at Mic a Mac. Ond roedd y ddau'n edrych ar Clem, yna ar y garreg ac wedyn arno yntau. Roedd amheuaeth sydyn ar eu hwynebau hwythau hefyd.

'Rhyfedd, 'te?' sgyrnygodd Clem eto. 'Symud i rai, ond ddim i eraill. A sut mae hynny'n bod, ys gwn i? Yyyy?'

'Ond . . . wnes i ddim byd,' dadleuodd Stwmp. 'Does gen i mo'r help na symudodd hi.'

'Nac oes?' holodd Clem. 'Carreg ffeind, tydi? Dy arbed di a llyncu'r lleill. Rwyt ti'n gwybod y gyfrinach. Agor hi.'

'Ond fedra i ddim. Dydw i ddim yn gwybod sut,' gwaeddodd Stwmp.

'Tria,' oedd yr ateb cas.

Ymaflodd yn Stwmp a'i orfodi ar ei benliniau.

'Agor hi,' gorchmynnodd eto.

Ceisiodd Stwmp gicio yn ei erbyn. Ond roedd ei afael yn rhy gryf.

'Rydw i wedi dweud. Fedra i ddim. Fedra i ddim,' gwaeddodd Stwmp yn wylofus.

Llaciodd gafael Clem ychydig, ond roedd ei wyneb yr un mor ddialgar.

'Mic! Mac! Dywedwch wrtho fo,' ymbiliodd Stwmp.

'Wyt ti'n siŵr nad oeddet ti'n . . .?' cychwynnodd Mac yn anghyfforddus.

'Wrth gwrs fy mod i,' haerodd Stwmp yn wyllt.

Ond dal i amau roedd y ddau.

'Cyd-ddigwyddiad oedd o. Pam na wnewch chi fy nghoelio i?' meddai Stwmp yn ddiobaith.

Tynhaodd Clem ei afael yn ei freichiau a'u gorfodi y tu ôl i'w gefn.

'Mi ofala i na chei di wneud smonach arall,' sgyrnygodd.

Rhoddodd dro cïaidd ar freichiau Stwmp.

'Cychwyn hi,' gorchmynnodd.

Hyrddiodd ef o'i flaen gan ofalu neidio tros y garreg symudol. Gwnaeth Mic a Mac yr un fath.

'Y chdi aiff gynta o hyn ymlaen,' sgyrnygodd Clem. 'Ac os oes 'na drap arall, y chdi ddisgynnith iddo fo.'

10

Disgleiriai golau llachar o'r nenfwd. Ceisiodd Stwmp edrych i fyny tra gorfodai Clem ef ymlaen gan ddal ei ddagr yn dynn wrth ei gefn. Ond fedrai o ddim syllu'n hir ar y golau cryf heb gael ei ddallu. Syllodd ymlaen ar hyd y coridor ac yn sydyn aeth yn groen gwydd drosto.

Fe deimlai fod llygaid yn ei wylio. Ond roedd y coridor yn wag. Llawr gwag, muriau gwag a nenfwd wag. Doedd yna unlle i neb guddio. Ond roedd o'n siŵr fod rhywun yn ei wylio.

'Symud hi, y penci,' gorchmynnodd Clem yn gras.

Safodd Stwmp yn ei unfan.

'Mae rhywun . . .'

Ni chafodd orffen. Brathodd dagr Clem yn boenus i'w gnawd a phoerodd ei lais bygythiol yn ei glust.

'Symud!'

'Ond . . .'

'SYMUD!'

Ni allai wrthod rhagor. Cerddodd ymlaen yn erbyn ei ewyllys. Ofnai i'r llawr agor eto a'i ddymchwel i ryw ddyfnder tywyll ofnadwy. A thybed oedd yna rywun yn gwylio . . . ac yn disgwyl ei gyfle?

Cerddodd ymlaen yn wyliadwrus. Ond doedd dim i amharu ar eu cerddediad. Dim ond siffrwd isel eu traed ar yr wyneb caregog.

Yna daethant at fforch yn y twnnel. Ni wyddai Stwmp pa ffordd i fynd. Trodd i holi Clem.

'Pa'r un . . .?'

Ond doedd Clem ddim yna! Eiliad yn ôl roedd o'n pwyso'i ddagr milain i'w gnawd, a rŵan . . .!

'Ble'r aeth o?' holodd Stwmp yn ddryslyd.

Syllodd Mic a Mac yn gegagored arno.

'Roedd o yma . . .' meddai Mac mewn llais syfrdan. 'Ac mi . . . *ddiflannodd*. Jest fel'na.'

Gwnaeth arwydd â'i fysedd.

'Trap arall,' meddai Mic o'r diwedd gan fyseddu ei bicell a llygadu Stwmp bob yn ail.

'Paid ag edrych arna i,' gwaeddodd Stwmp yn gandryll. 'Wnes i ddim byd.'

'Holliach eto, dwyt?' meddai Mac mewn llais amheus.

'Rhyfedd, tydi?' meddai'r ddau hefo'i gilydd.

'Ond mi driais i rybuddio . . .' meddai Stwmp. 'Wnaeth o ddim gwrando, naddo?'

'Hmmm!' meddai Mic gan rwbio'i ên yn ystyriol.

'Falla,' meddai Mac yr un mor ystyriol.

'Mae'n rhaid ichi goelio,' meddai Stwmp. 'Rydw i eisio cael fy nghyllell . . . yr Arf . . . ac eisio dianc o'r byd 'ma. Eich byd chi ydi o, nid fy myd i. A dydw i ddim wedi cyfarfod 'run microb. Ddim ond yr un laddais i a hwnnw ddenodd fi i'r donnen. Mae'n rhaid ichi goelio.'

'Wyt ti'n siŵr nad wyt ti wedi cyfeillachu hefo nhw? Bargeinio er mwyn dy achub dy hun?'

'Tric cachgi fuasai hynny,' meddai Mic.

'Nac ydw. Wn i ddim byd am ficrob. Dydw i ddim yn ffrindiau hefo nhw. Uffern dân! Sawl gwa . . .?'

Fe'i hataliodd ei hun yn sydyn a lledaenodd ei lygaid. Roedd rhywbeth yn ymlusgo'n drafferthus o'r twnnel ar y chwith. Rhywbeth mawr a llesg, a hwnnw'n gwneud sŵn sugno llysnafeddog gyda phob symudiad. Rhewodd y tri.

'Be aflwydd ydi o?' holodd Mic a'i lais yn crynu.

'Wn i ddim,' meddai Stwmp.

Chwiliodd yn wyllt am rywle i ddianc. Yn ôl ar hyd y twnnel, ac allan i ganol y coediach unwaith eto? Trodd i faglu'n ôl.

'Ffordd hyn!' galwodd.

Rhewodd y geiriau ar ei dafod. *Doedd* yna ddim ffordd i ddianc. Heb yn wybod iddynt, roedd drws mawr wedi cau ar draws y coridor i'w rhwystro.

Rhuthrodd Stwmp ato a cheisio ei wthio ar agor. Dechreuodd gicio a dobio, a chwilio'n wyllt am glicied. Ond yn ofer. A thrwy'r amser, fe gynyddai'r ymlusgo a'r sugno ofnadwy o'r twnnel ar y chwith.

'I'r twnnel arall,' gwaeddodd.

Trodd i redeg amdano. Ond roedd Mic a Mac yn sefyll yn eu hunfan ac yn edrych arno.

'Dowch! Rŵan!'

Gwenodd y ddau arno heb symud.

'Tric arall, Stwmp?' holodd Mic yn felys. 'Am ein harwain i'r twnnel er mwyn i ninnau gael ein dal hefyd?'

'Y sgerbwd dauwynebog iti,' sgyrnygodd Mac.

'Ond dydych chi ddim yn dallt! *Rhaid* dianc.'

Roedd o'n gandryll am nad oedden nhw'n gwrando arno. Ac roedd y rhywbeth ofnadwy bron â chyrraedd.

'Mi arhosa i yma,' meddai Mic gan eistedd a'i bwys ar y wal.

'A finna hefyd,' meddai Mac.

Fe'i gollyngodd ei hun wrth ochr ei efell.

'Rhed ti i dy drap dy hun,' meddai'r ddau.

Duodd ceg y twnnel wrth i'r bwystfil anferth ddod i'r golwg. Syllodd y tri arno a'u cegau'n agored.

'Uffern dân!' ebychodd Mic gan neidio ar ei draed.

Roedd o'n llenwi ceg y twnnel. Crebachai ei wefusau glafoeriog uwch safnau yn llawn o ddannedd miniog, a fflachiai ei lygaid coch i'w cyfeiriad. Daeth sŵn y sugno anghynnes eto a llyfodd ei wefusau'n awchus wrth eu gweld.

'Rhedwch!' gwaeddodd Stwmp gan anelu am y twnnel arall.

Rhuodd y bwystfil nes bod y sŵn yn diasbedain yn daran ddychrynllyd rhwng y muriau cyfyngedig. Neidiodd ymlaen ac estyn pawen ewinog amdanynt. Taflodd Stwmp ei hun o'r ffordd gan roi hwyth i Mac i'r twnnel 'run pryd.

Diolch byth! Roedden nhw'n ddiogel am ychydig.

'MIC!'

Roedd gwaedd Mac yn hanner gwallgof wrth iddo weld ei frawd yn disgyn o dan nerth y bawen, a'r dannedd miniog yn ymestyn amdano.

'MIC!'

Rhuthrodd yn ôl i geisio ei achub.

Rhewyd Stwmp yn ei unfan am eiliad. Yna, wrth i Mac ymosod ar y bwystfil, fe'i taflodd yntau ei hun i'r frwydr.

'Un . . . bob . . . ochr,' gwaeddodd Mac yn llafurus wrth iddo daro trosodd a throsodd gyda'i bicell.

Neidiodd Stwmp i ufuddhau er bod ei goesau'n gwegian. Rhuai'r bwystfil wrth i flaenau miniog y picellau dyllu i'w groen. Ond roedd ei bawen yn sefydlog ar gorff Mic, er bod y gwaed du yn llifo'n araf o'i friwiau.

Cleciai ei gynffon braff yn erbyn y waliau. Chwibanai uwchben Stwmp a Mac wrth iddynt ddawnsio i mewn ac allan o gyrraedd y dannedd a'r ewinedd miniog.

Dechreuodd y ddau flino. Rhedai'r chwys yn afon i'w llygaid wrth iddynt geisio taro'n ddwfn i'r cnawd. Yn ddigon dwfn i ladd y bwystfil. Ond doedd dim yn tycio. Ac erbyn hyn, gorweddai Mic yn gorff llonydd o dan ei bawen.

Carlamai'r gwaed trwy wythiennau Stwmp wrth iddo wynebu'r creadur. 'Cymer hon . . . a honna.' Roedd wedi anghofio'i ofn yng ngwres y frwydr. Doedd arno ddim ofn. Dim.

'Anela am ei wddf,' gwaeddodd ar Mac. 'Hefo'n gilydd! I mewn i'w geg o!'

Rywsut, cafodd y ddau eu hunain yn union o dan y safnau.

'RŴAN!' bloeddiodd Stwmp.

Taflasant eu picellau fel un. Saethodd y ddwy'n driw gan ddiflannu i mewn i'r geg agored ac ymlaen i'r gwddf.

Rhewyd y bwystfil yn ei unfan. Yna, gydag un rhuad ofnadwy, chwipiodd ei bawennau at ei geg. Crafangodd y ddau'n ofer am y picellau cyn i'r bwystfil syrthio'n araf i'r llawr. Syllodd ei lygaid cochion yn filain arnynt am eiliad, yna gwywodd y cochni ohonynt a llifodd y bywyd ohono.

'MIC!'

Taflodd Mac ei hun at ei frawd. Plygodd trosto a'i hanner godi yn ei freichiau.

'Mic! Mic! Deuda rywbeth,' erfyniodd.

Safodd Stwmp heb wybod beth i'w wneud nesaf. Yna rhewodd yn sydyn. Roedd sŵn arall yn y twnnel. Yr un hen ymlusgo llysnafeddog ag o'r blaen. Roedd 'na *ail fwystfil*! Neidiodd am ei bicell o geg y corff marw.

'Mac!' gwaeddodd. 'Mae 'na un arall. Gwranda!'

'Be 'di'r ots heb Mic?' meddai Mac yn ddigalon.

Disgynnodd Stwmp ar ei liniau'n frysiog a theimlo pyls Mic.

'Mae o'n fyw. Brysia, Mac! Mi'i cludwn ni o i'r twnnel arall.'

'Yn fyw?'

Edrychodd Mac yn fud arno am eiliad, yna trodd ei ben i wylio ceg y twnnel. Neidiodd ar ei draed wrth i'r sŵn ohono gynyddu.

'Brysia!' erfyniodd Stwmp.

Gafaelodd y ddau yn Mic. Ond roeddent yn rhy hwyr. Llanwyd ceg y twnnel ar y chwith gan gysgod du. Roedd y bwystfil arall wedi cyrraedd!

Safodd am eiliad a'i edrychiad llosg yn crwydro tros furiau'r twnnel. Yna fe'u gwelodd. Rhuodd a chychwyn amdanynt. Ond roedd corff y llall ar ei ffordd.

Rhewodd Stwmp a Mac yn eu hunfan wrth i'r creadur symud o bawen i bawen yn ansicr. Sniffiodd uwchben y corff. Ymddangosodd ei dafod anferth i'w lyfu.

Mae o'n galaru am ei gydymaith, meddyliodd Stwmp yn wirion. Yna, yn ddirybudd, llifodd beil i'w wddf wrth i'r creadur suddo ei ddannedd miniog i'r cnawd cynnes. Llanwyd y twnnel â swn cnoi arswydus.

'Yyghh!'

Trodd Stwmp i chwydu'n bistyll ar lawr y twnnel. Roedd y creadur yn bwyta ei frawd neu'i chwaer ei hun. Chwydodd eto wrth glywed y sugno a'r cnoi a'r crensian esgyrn.

Sbonciodd chwys ar ei dalcen wrth iddo geisio ei reoli ei hun. Roedd arogl gwaed a pherfedd cynnes yn codi'n gwmwl i'w ffroenau a'i wneud yn swp sâl.

Cydiodd Mac yn boenus yn ei fraich. Roedd ei

wyneb yn wyn fel y galchen yng ngolau disglair y nenfwd.

'Stwmp! Rhaid inni ddianc!'

Ufuddhaodd Stwmp mewn breuddwyd. Roedd ei goesau'n crynu'n wantan wrth iddynt gludo Mic i ddiogelwch brau y twnnel arall.

Ebychodd Mic yn sydyn ac agorodd ei lygaid.

'Ble'r ydw i? Be ddigwyddodd?' holodd yn floesg.

Yna ymladdodd o'u gafael a chodi ar ei draed yn ffrwcslyd.

'Y bwystfil 'na? Ble mae o?'

Atseiniai'r cnoi anghynnes rhwng muriau'r twneli. Lledaenodd llygaid Mic.

'Be . . .?'

'Dim amser i holi,' brathodd Mac. 'Rhaid dianc. Chdi gynta,' meddai wrth Stwmp.

Suddodd calon Stwmp. Roedd Mac yn dal i'w amau. Os felly, doedd cydymladd i ladd y bwystfil wedi profi dim. Am eiliad edrychodd Mac ac yntau ar ei gilydd heb ddweud gair.

'Dowch, 'ta,' meddai Stwmp yn siomedig o'r diwedd.

Trodd ar ei sawdl a chychwyn yn gyflym ar hyd y twnnel. Corddai ei feddwl yn gymysgedd o siom ac ofn. Siom cael bai ar gam, ac ofn yr hyn a'i hwynebai nesaf. A beth am y bwystfil o'u hôl? Fyddai o'n fodlon wedi gwledda ar y llall? Na, gwaeddai ei feddwl tra cyflymai ei draed.

Brysiodd ymlaen gan alw ar Mic a Mac i redeg gydag ef. Roedd y twnnel yn un stribed hir, heb wyriad i dorri ar ei undonedd. Disgleiriai'r golau yr un mor llachar o'r nenfwd, gan wneud yr awyrgylch gaeedig, lychlyd yn hunllef iddo.

Doedd dim i'w glywed ond sŵn ei draed blinedig ar y llawr carreg. Pa mor bell eto? Roedd atsain ei anadl llafurus yn ei glustiau a'r chwys yn afon rhwng crys a chroen.

Un anadl, un pâr o draed. Roedd o ar ei ben ei hun, meddyliodd yn flinedig. Yna sbonciodd ei nerfau'n gynhyrfus. *Un*! Ond . . . nid ar ei ben ei hun y dylai fod!

Sgrialodd i'w unfan a throi i syllu o'i ôl yn anghrediniol. Doedd Mic a Mac ddim yno! Rhwbiodd ei lygaid a rhythu eto. Dim ond twnnel moel . . . a distawrwydd llethol. Roedden nhw wedi diflannu—fel Clem!

'MIC! MAC!' bloeddiodd.

Ni ddaeth ateb. Dim ond atsain ei waedd yn lleihau'n ddim rhwng y muriau gweigion. Dechreuodd ei galon guro'n afreolus. Beth oedd wedi digwydd iddyn nhw? Doedd y bwystfil erioed wedi'u dal—a'u bwyta? Ond mi fuasai wedi clywed, siawns? *Ond chlywodd o ddim byd*!

Safodd yno'n ansicr. Beth wnâi? Mynd yn ôl i chwilio amdanynt, 'ta mentro ymlaen ar ei ben ei hun? Tynhaodd ei law ar ei bicell a llygadodd y twnnel unionsyth o'i ôl. Roedd o'n ymestyn i'r pellter am . . . am . . . byth! A doedd neb na dim i'w weld. Roedd Mic a Mac wedi diflannu, a wyddai o ddim i ble na sut.

Roedd yn rhaid iddo ganlyn ymlaen. Trodd . . . a bu bron iddo â syrthio i'r twll a ymddangosodd yn sydyn wrth ei draed. Baglodd gam yn ôl mewn dychryn. Roedd grisiau ynddo, a'r rheiny'n arwain i lawr i ddyfnderoedd y gaer.

Disgynnodd ar ei liniau a chropian ymlaen i

syllu i lawr arnynt. Roedden nhw'n troi'n gylchoedd i lawr ac i lawr o'i olwg.

Gogwyddai ei feddwl rhwng mentro a pheidio wrth iddo syllu i lawr. Cipedrychodd ar y twnnel o'i ôl unwaith eto, a dychmygodd glywed ymlusgo araf y bwystfil rywle yn y pellter. Crafangiodd ofn ar hyd ei nerfau.

Rhoddodd droed arbrofol ar y ris uchaf. Cynyddodd yr ofn o'i mewn. Ofnai i'r grisiau ddiflannu o dan ei draed a'i ddymchwel yntau'n bendramwnwgl i'r dyfnder. Ond roedden nhw'n berffaith gadarn. Mentrodd ris arall . . . ac un arall.

Safodd yn sydyn. Glywodd o leisiau? Gwrandawodd a'i nerfau'n ymestyn yn annioddefol. Do. Roedden nhw'n atseinio i lawr yn y gwagedd oddi tano.

Llamodd ei galon. *Llais Sandra*! Ia. Llais Sandra! Bu bron iddo weiddi ei orfoledd. Ond brathodd ei dafod. Efallai mai trap arall oedd o, ac nad oedd neb yno.

Ond cyflymodd ei draed ar y grisiau. Cyrhaeddodd y gwaelod a'i anadl yn baglu yn ei ysgyfaint. Yno, roedd arogl brwmstan yn gryf yn ei ffroenau, a chynhesrwydd aflan yn gorwedd o'i gwmpas.

Safai mewn ogof fawr a golau coch yn fywiog ar ei muriau. Pesychodd wrth deimlo'r llosgfa yn ei wddf a blas dieithr brwmstan. Dechreuodd ei lygaid ddyfrio wrth iddo geisio gweld trwy'r mwg a'r ager o'i gwmpas. Roedd y lleisiau rywle yng nghrombil yr ogof. Lleisiau Sandra . . . a Michelin. Mic a Mac hefyd. Roedd o'n siŵr o hynny.

'SANDRA! MICHELIN!' gwaeddodd.

Dim ateb.

'SANDRA!' gwaeddodd Stwmp eto.

Lledaenai gwagedd yr ogof yn drymaidd o'i gwmpas. Ond eto roedd hi'n fyw o symudiadau. Sbonciai'r golau coch ar y muriau, codai'r ager yn gymylau tua'r nenfwd a deuai sŵn rhyfedd Plop! Plop! ysgafn o rywle.

Palfalodd ei ffordd trwy'r ager am ychydig, cyn ei atal ei hun yn sydyn. Roedd pwll o lafa crasboeth o'i flaen. Estynnai o wal i wal a'i wyneb yn ffrwtian yn aflonydd a thaflu ambell gawod sydyn tua'r entrychion.

Cordeddai ager llosg i'w wyneb wrth iddo syllu arno, a phesychodd yn ddireol wrth i'r brwmstan dreiddio'n ddwfn i'w ysgyfaint. Edrychodd o'i gwmpas yn anghyfforddus. Fe deimlai'n sicr fod llygaid dieithr yn ei wylio—o'r pwll! Ond beth allai fyw mewn dyfnder mor chwilboeth? Ac eto, roedd symudiad araf, disgwylgar rywle o dan yr wyneb symudol. Fel petai . . . rhywbeth . . . yn gwybod ei fod o yno, ac yn disgwyl.

Yn ddisymwth, cliriodd yr ager a daeth pen pellaf yr ogof i'r amlwg. Roedd Sandra a Michelin a'r efeilliaid yno. Roedden nhw'n ddiogel! Ond . . . llygadrythodd eto. Doedden nhw ddim hefo'i gilydd. Roedd Michelin a'r efeilliaid mewn caets, a Sandra y tu allan iddo ac yn ceisio ei agor. A ble'r oedd Clem?

'Hei! Sandra! Rydw i yma,' gwaeddodd.

Ond diflannodd ei alwad rywle uwchben y pwll lafa, ymhell cyn cyrraedd ati.

'Sand . . .!'

Distawodd y waedd ar ei wefusau mewn

dychryn wrth iddo weld neidr anferth yn llithro o'r cysgodion ar y chwith iddi. Roedd hi'n igam ogamu ei chorff ystwyth tuag at Sandra, a'i thafod yn barod i blannu ei gwenwyn.

'Y TU ÔL ITI!' gwaeddodd Stwmp.

Chwifiodd ei freichiau'n wyllt. Roedd y neidr yn agosáu. Munud arall, ac mi fyddai wedi cyrraedd at Sandra.

Pam nad oedd yr un ohonyn nhw'n clywed? Gwaeddodd eto.

'SANDRA! Y TU ÔL ITI! PERYGL!'

Roedd y neidr bron â'i chyrraedd. Anobeithiodd Stwmp am eiliad. Ceisiodd rybuddio Sandra eto. Ond roedd hi'n dobio'n ddi-baid ar glo'r caets, ac yn clywed dim.

'Damia! Damia!'

Rhegodd mewn rhwystredigaeth. Petai rhyw ffordd iddo fynd ati . . .! Yna sylwodd ar silff gul, garegog ychydig yn uwch na'r lafa. Silff a estynnai i'r ochr draw.

Estynnodd ei freichiau i geisio cael gafael arni a'i dynnu ei hun i fyny. Arllwysai chwys i lawr ei gefn wrth i wres dieflig godi o'r pwll. Roedd ei galon yn ei wddf ond llwyddodd i fachu'i fysedd yn y graig anwastad. Tynnodd ei hun i fyny'n llafurus a'i ollwng ei hun yn ddiolchgar ar ei hwyneb cul.

Whiw! Roedd y gwres yn annioddefol. Cododd ar ei draed yn ofalus, a llusgo troed ar ôl troed betrusgar ar hyd y silff a'r chwys yn dallu'i lygaid.

Roedd hi'n gul. Yn ofnadwy o gul. Plannodd ei ewinedd yn y wal wrth ei drwyn, a cheisio canolbwyntio ei holl sylw ar gyrraedd yr ochr draw cyn i'r neidr glosio at Sandra.

Mentrodd gipedrych ymlaen. Roedd o bron â chyrraedd, sylweddolodd yn ddiolchgar. Ceisiodd frysio. Ond baglai ei draed ar gulni gwresog y silff. A dychwelodd y teimlad fod rhywun yn ei wylio. Ymledodd cryndod trwy'i fysedd a bu bron iddo ollwng ei afael.

Llyncodd boer yn nerfus a llithrodd gam arall ymlaen. Dychmygu'r llygaid roedd o. Doedd yna neb ond y fo . . . a Sandra . . . a thri mewn caets yn yr hen ogof yma. A'r neidr!

Roedd o fewn cyrraedd. Ond roedd y neidr o fewn cyrraedd hefyd, ac roedd ei phen ar i waered a'i thafod yn fforchio i daro.

Fe fentrai redeg yr ychydig bellter olaf, penderfynodd Stwmp yn wyllt. Tynhaodd ei gyhyrau'n barod.

'Cra . . . wc!'

Rhewodd. Edrychodd i lawr. Serennai dwy lygaid anferth arno o'r silff o'i flaen. Broga? Y broga hyllaf a'r mwyaf a welodd o erioed. Roedd dafadennau'n lympiau anferth ar ei groen sych, a thyfai ewinedd hir, ymgripiog ar ei draed gweog. A'i lygaid? . . . Aeth ias trwyddo wrth edrych iddynt.

'Craw . . . wc!'

Serennodd y llygaid anferth yn felyn fesmeiriol arno. Roedden nhw'n fyw . . . yn troelli . . . yn ei gymell i'w dyfnder. Fe'i teimlai ei hun yn llithro'n freuddwydiol i'w cannwyll hypnotig. Rownd a rownd . . . yn is ac yn is . . .

'Tyrd. Ty . . . yrd! Ata i. I gynhesrwydd fy llygaid a'm cartre.'

'Na! Na!'

Roedd yna rywbeth y dylai ei wneud. Y funud 'ma. Ond . . . fedrai o ddim cofio. Ddim â'r llygaid hudolus yn tyfu a thyfu i lenwi'i holl fyd.

'Ata i. At . . . a i! Am by . . . yth!'

Roedd o'n boddi yn eu cynhesrwydd cyfeillgar. Fe allai anghofio'r byd coch hunllefus yma a disgyn . . . disgyn . . . i . . . i . . .

Gorweddai Stwmp yn llonydd yn yr ysbyty.

'Mae o'n llithro oddi wrthon ni,' wylodd ei fam gan godi o'i chadair a mynd at y ffenestr i guddio'i dagrau. 'Waeth inni heb â'n twyllo ein hunain.'

'Mam!' Llithrodd y gair yn haws y tro hwn oddi ar dafod Sandra. 'Mae o'n siŵr o fod yn ol reit. Gewch chi weld.'

Llifodd dagrau i lawr wyneb ei llysfam. Roedd Sandra wedi'i galw'n fam unwaith eto. O, pam na wnâi Meical ddeffro o'i goma er mwyn iddyn nhw fod yn deulu cytûn? Estynnodd ei llaw i afael yn un Sandra.

'Diolch, 'mechan i,' meddai. 'Wn i ddim beth wnawn i hebddot ti a dy dad.'

Hanner gwenodd Sandra arni cyn troi'n ôl at y gwely. Roedd hi'n ewyllysio i Meical ddeffro o'i goma. Yn benderfynol ei fod am ddeffro! Y penci penstiff iddo fo! Pa iws iddo orwedd fel planc heb gymryd sylw o neb? Gwylltiodd.

'Meical! MEICAL!' gwaeddodd wrth ei glust.

Cododd ei llais.

'MEICAL!'

Brysiodd y nyrs yno ar unwaith.

'Dydi gweiddi o ddim help i'r claf,' meddai'n garedig. 'Siarad hefo fo, a chwarae tapiau o bethau cyfarwydd. Dyna sydd orau.'

Sut mae hi'n gwybod, meddyliodd Sandra'n flin. Edrychodd ar wyneb llonydd Meical. Ai dychmygu cynnwrf bychan o dan ei amrannau ddaru hi? Edrychodd yn fanwl eto. Fedrai hi ddim bod yn siŵr. Ond efallai bod y waedd yna wedi cyrraedd ato yn rhywle, ac wedi deffro dipyn bach arno fo.

Ymlaciodd gafael hypnotig y broga a sythodd Stwmp yn sydyn. Fe glywodd waedd. Sandra! Daeth y waedd eto.

'MEICAL!'

Llygadrythodd tros ysgwydd y broga. Roedd y neidr a Sandra wyneb yn wyneb. Roedd Sandra mewn perygl! Rhaid iddo ymateb!

11

Neidio! Roedd yn rhaid iddo neidio er waethaf y perygl! Crynhodd ei benderfyniad a'i daflu ei hun i'r awyr.

Trawodd ei droed gefn y broga wrth iddo neidio. Roedd o'n baglu . . . ac yn disgyn i'r pwll gwynias oddi tano! Ond rywsut, fe'i hyrddiodd ei hun ymlaen i lanio ar ymyl caregog y pwll.

'SANDRA!'

Baglai'r waedd yn ei wddf wrth iddo ymladd i ryddhau ei bicell o'i wregys.

Hisiodd y neidr yn fygythiol. Roedd ei llygaid milain yn sefydlog ar Sandra, a'i phen yn barod i daro.

Neidiodd Stwmp a sefyll ochr yn ochr â Sandra i'w hwynebu.

'Honna iti,' gwaeddodd wrth daro tuag ati.

Hisiai'r neidr gan ogwyddo i'r dde a'r chwith i osgoi eu hymosodiadau.

'Cadw'n ôl, Sandra,' gwaeddodd.

'Dim . . . ffeiars,' oedd yr ateb llafurus.

Safai Michelin a'r efeilliaid yn fud yn y caets, a'u llygaid yn gwylio'r ymladd.

'Gorfodwch hi'n nes at y caets,' gwaeddodd Michelin yn sydyn.

Atseiniai ei eiriau yng nghlustiau Stwmp, ond ni allai wneud unrhyw synnwyr ohonynt. Pa iws oedd hynny? Ond roedd Sandra wedi deall.

'Yn . . . ôl â . . . hi, Meical,' meddai'n drafferthus. 'Yn ôl . . . at farrau'r . . . caets.'

Fe ddeallodd Stwmp o'r diwedd. Roedd arfau gan y tri. Arfau i daro'r neidr petai hi'n nes at y barrau.

Cynyddai gwres y lafa y tu ôl iddynt, a chodai'r sŵn ffrwtian yn ei glustiau. Llanwodd chwys ei lygaid a llithrodd ei law ar goes y bicell. Ond roedd o'n benderfynol o ymladd i'r eithaf. Trawodd drosodd a throsodd tuag at y neidr.

Llifai'r adrenalin yn gyffrous trwy'i gorff. Roedd yn fyw trwyddo, yn ymhyfrydu yn yr ymladd. Yn mwynhau er gwaetha'r perygl!

Ciliodd y neidr ychydig yn wyneb ymosodiadau'r ddau. Roedd hi'n nesáu at y caets heb yn wybod iddi'i hun. Yn nes . . . yn nes!

Cyffyrddodd ei chynffon yn y barrau. A'r eiliad honno, trawodd tri arf yn ddwfn iddi. Pwysodd y carcharorion arnynt tra chwipiai'r neidr yn ôl ac ymlaen gan ysgwyd y caets yn ddidrugaredd.

'Rŵan!' galwodd Stwmp gan neidio ymlaen a tharo'i bicell i'w cheg agored.

'Hai!' gwaeddodd Sandra a thrawodd hithau i'r gwddf.

Cynddeiriogodd y neidr. Chwipiai fel mellten yn erbyn barrau'r caets a saethai ei thafod gwenwynig i'w cyfeiriad dro ar ôl tro. Ond roedd yr arfau'n caethiwo ei chynffon. Ac o dipyn i beth, arafodd y chwipio cynddeiriog nes iddi gwympo o'r diwedd a'r nerth yn llifo ohoni.

'Lladda hi,' gwaeddodd Michelin. 'Stwmp! Lladda hi.'

Neidiodd Stwmp i ufuddhau, ond roedd ei goesau'n gwegian oddi tano a'r bicell fel tunnell o frics yn ei fysedd.

'Tria, Stwmp. Rhaid iti drio,' bloeddiodd Michelin.

Cododd Stwmp ei bicell a cherddodd yn araf at ei phen. Tynhaodd ei gyhyrau i daro. Ond . . . fedrai o ddim. Rhwystrai rhywbeth ef. Syllodd ar y neidr. Roedd ei llygaid pŵl yn ymbil arno. Arbed fy mywyd. Arbed fy mywyd.

Gostyngodd Stwmp ei bicell yn flinedig. Fedrai o mo'i lladd. *Fedrai o ddim*!

Edrychai pawb arno'n anghrediniol. Bradwr, meddai eu llygaid. Llwfrgi microb!

'Mi lladda *i* hi,' meddai Sandra o'r diwedd.

Symudodd ymlaen yn wyliadwrus gan godi'i dagr i daro. Ond fe'i hataliodd hithau ei hun hefyd. Roedd llygaid y neidr arni hithau hefyd. Arbed fy mywyd. Plîs. Arbed fy mywyd . . .

'Uffern dân!' rhuodd Michelin o'r caets. 'Beth

sydd arnoch chi, y ffyliaid? Lladdwch hi cyn iddi fywiogi eto.'

'Sss . . . Bargen am ssfy . . . mywyd . . . sss,' hisiodd y neidr trwy wddf briwedig. 'sssBargen.'

'Pa fargen?' holodd Stwmp.

'Dweud . . . sswrthych chi . . . sssble ssmae sssMastiff . . . a'r ssArf.'

'Lladda hi, y sinach penwan,' rhuodd Michelin eto.

Gafaelodd yn ei ddagr a chyrhaeddodd i geisio taro'r corff praff ymhell o'i gynffon. Ond ni fedrai.

'Llabystiaid di-asgwrn-cefn felltith,' sgyrnygodd.

Roedd o'n prysur golli arno'i hun yn ei wylltineb.

'Hsss . . . eissio . . . ssachub yr Arf . . . a ssdianc o'r ssbyd . . . ssyma?' hisiodd y neidr. 'Oes . . . ss?'

Cododd calon Stwmp.

'Sut?'

'Sss. Trechu . . . Mastiff . . . cyn ss . . . iddo agor drws . . . y Tŵr . . . sss.'

'Y Tŵr?'

Roedd llais Sandra'n codi'n sgrech.

'Dydi Mastiff ddim yma? Ddim yn y gaer?'

'Sss . . . Trap i'ch ssdal sschi'n . . . ssôl . . . ydi . . . ss . . . hyn!'

Am eiliad roedd mwynhad yn llygaid pŵl y neidr.

'Amser iddo ss . . . gyrraedd y Tŵr sshefo'r Arf . . . sss ac amssser i ragor o sssficrob ssddod trwy'r ssbwlch.'

'Wyt ti'n dweud y gwir?' holodd Sandra'n ffyrnig.

Ond nid atebodd y neidr. Suddodd ei phen i'r llawr a chaeodd ei llygaid.

Ysgydwodd Michelin farrau'r caets yn flin.

'Dim ond i mi ddŵad o'ma rywsut, ac mi ofala i fod y llipryn llinynnog yna'n dweud y gwir,' bygythiodd.

Agorodd y neidr un llygad diog, a'i sefydlu ar Stwmp.

'SssBargen ssdoedd?'

'Oedd,' ategodd Stwmp yn flinedig cyn troi at y caets. 'Rhaid inni'i choelio hi, Michelin,' meddai.

'Ond . . . y Tŵr,' meddai Sandra. 'Mi fydd ar ben arnat ti os cyrhaeddith Mastiff ei ddrws.'

'Pam hynny?' holodd Stwmp yn ddryslyd.

'Am y byddi di wedi colli'r frwydr, y twpsyn,' meddai Sandra'n flin. 'Tŵr dy galon di ydi o. Ac wedi i Mastiff agor y drws, bydd y microb yn tyrru i mewn ac yn ei dinistrio. Capŵt! Gorffen! Ta ta, Stwmp!'

'Rwtsh!' gwaeddodd Stwmp.

Ond doedd o ddim mor siŵr chwaith. Roedd ganddo hen deimlad annifyr rywle tua'i stumog. Rhyw gymysgedd o ofn a sicrwydd ac ansicrwydd yn drobwll symudol. Beth petai Sandra'n dweud y gwir? Os felly, roedd yn rhaid iddo drechu Mastiff cyn iddo ddatgloi drws y Tŵr.

12

Ond yn gyntaf, roedd yn rhaid gollwng y tri o'r caets. Ond sut? Doedd dagr na phicell ddim yn ddigon. Chwiliodd Stwmp y llawr. Roedd amryw o gerrig mân yno, ond dim un a oedd yn ddigon mawr i ddyrnio'r clo.

Cychwynnodd y neidr yn llechwraidd oddi yno.

'Aros ble'r wyt ti,' gorchmynnodd Stwmp gan ddal ei bicell tuag ati.

'Pam . . . sss?' hisiodd. 'Bargen sssydi bargen.'

'Ble mae allwedd y caets?' holodd Stwmp yn fygythiol.

Chwarddodd y neidr yn isel.

'Yr sssallwedd?'

'Ia . . . yr allwedd,' meddai Stwmp yn benderfynol gan sefyll rhyngddi hi a'i dihangfa.

'Ssss . . . mewn lle sssdiogel,' hisiodd y neidr.

Chwarddodd yn isel eto.

'Ssss . . . gan y . . . sssbroga,' meddai.

'Be?'

Trodd Stwmp i edrych i gyfeiriad y pwll lafa. Roedd ei wyneb yn chwyldro o ffrwtian ac ager symudol. Ond ble'r oedd y broga?

Fel petai wedi'i alw o'r lafa, fe ymddangosodd ei ben a'i ysgwyddau dafadennog ger y lan. Crafangiodd yn drwsgwl i'r lan, a'i geg fawr ar agor. Gorweddai'r allwedd yn ddestlus ar ei dafod.

'Ssss . . . ssss!'

Roedd chwerthin slei y neidr yng nghlustiau Stwmp wrth iddo afael yn Sandra a'i thynnu gydag ef at y caets.

'Faint o uwd ma' hwnna'n 'i fwyta i frecwast?' holodd Mac yn syn.

'Lot!' oedd ateb pendant Mic.

Roedd dychryn yn llais y ddau.

'Rhowch daw arni,' gorchmynnodd Michelin yn gras.

Pwysodd Stwmp a Sandra eu cefnau ar y caets a'u dwylo'n tynhau ar eu harfau. Ceisiodd y ddau beidio ag edrych ar y llygaid mawr, serennog. Ond roedden nhw'n sefydlog arnynt, ac yn eu cymell i gamu 'mlaen. Ac fe orweddai'r allwedd yn abwyd pryfoclyd ar y tafod. Mor agos . . .

Gafaelodd Sandra ym mraich Stwmp.

'Paid ag edrych i'w lygaid,' rhybuddiodd.

'Ond . . . yr allwedd,' meddai Stwmp.

Sibrydodd Sandra yn ei glust.

'Os medri di gadw'i sylw, mi gipia i'r allwedd.'

'Na . . . mi wna i.'

Edrychodd Sandra arno am eiliad cyn hanner gwenu'n sydyn.

'Hefo'n gilydd, 'ta,' meddai.

Ciledrychodd Stwmp ar y broga. Roedd o'n sefydlog wrth ymyl y pwll a'i geg agored yn gwenu'n bryfoclyd arnynt.

'Byddwch yn ofalus,' rhybuddiodd Michelin yn isel o'r caets.

Symudasant ymlaen gan gadw eu llygaid ar y llawr. Syllodd y ddau'n fanwl fanwl ar eu traed rhag iddynt orfod edrych i ddyfnder hypnotig y llygaid.

'Paid ag edrych. Paid ag edrych,' sibrydodd Sandra.

Roedden nhw bron â chyrraedd. Ond methodd

Stwmp ag edrych i lawr rhagor. Roedd yn rhaid iddo edrych ar y broga cyn bachu'i gyfle i gipio'r allwedd. Mentrodd gipolwg ar i fyny. Ar unwaith hoeliwyd ef gan y llygaid serennog. Curai goleuni euraidd yn eu dyfnder.

'Tyrd ata i . . . Ata i . . .'

Ni allai wrthod eu gorchymyn. Cyflymodd ei draed ar y llawr caregog.

'STWMP! STWMP!'

Roedd Michelin a Mic a Mac yn bloeddio arno o'r caets. Ond lleisiau pell, dibwys oedden nhw. Doedd dim ond llygaid y broga a'u gwahoddiad hypnotig yn bwysig iddo bellach.

Roedd o eisio cerdded ymlaen a boddi fwyfwy yn eu dyfnder euraidd. Yn sydyn, stampiodd Sandra'n gïaidd ar ei droed. Stampiodd eto ac eto nes yr ymledodd y boen yn annioddefol i fyny'i goes.

'B . . . be?'

Ceisiodd y llygaid ei feddiannu drachefn. Ond roedd llais Sandra yn ei glust a'i bysedd yn pinsio'i fraich yn dynn. Trodd y broga ei lygaid arni hithau.

Gwelodd Stwmp ei gyfle. Neidiodd am yr allwedd. Llosgai anadl brwmstan y broga ei fysedd wrth iddo afael ynddi. Ond rywsut, rywfodd roedd yr allwedd yn ei law, ac yntau'n gweiddi, ''Nôl! 'Nôl!' yn orffwyll.

Chwipiodd y geg anferth ar gau eiliad wedi iddo gipio'r allwedd. Chwyddodd corff y broga nes ffrwydro bron cyn iddo roi 'CRRAA . . . AAWC' dwfn, mileinig a llithro'n ôl i'r lafa.

Taflodd Stwmp a Sandra eu hunain at ddrws y

caets. Roedd bysedd Stwmp yn ffrwcslyd anystwyth wrth iddo wthio'r allwedd i'r clo a'i throi'n frysiog.

Rhuthrodd Michelin a'r efeilliaid allan, a'u harfau'n barod yn eu dwylo. Estynnodd Michelin i daro Stwmp yn orfoleddus drwm ar ei ysgwyddau.

'Go dda,' rhuodd. 'Triw bliw, dwyt?'

Roedd Mic a Mac yn wên o glust i glust.

'Dim angen iddo d'amau di rŵan, nac oes?'

Doedd dim angen f'amau o gwbl, meddyliodd Stwmp yn sur. Fy mrwydr i ydi hon, yn ôl Sandra, ac mi rydw i ar dân eisio'i hennill hi.

'Sut mae dianc o'r diawl lle 'ma? Am byth!' rhuodd Michelin wrth edrych yn wyllt o'i gwmpas. 'A ble mae Clem?'

Ond roedd Clem wedi'i lyncu i ddirgelwch y gaer, ac er iddynt weiddi, ni ddaeth atebiad.

'Mae o wedi diflannu am byth,' meddai Michelin o'r diwedd. 'Fy marchog gorau a dewraf i . . . dyn triw erioed.'

Ochneidiodd.

'Rhaid inni ddianc ar unwaith, ac erlid Mastiff,' meddai Sandra. 'Mae'r Arf ganddo, a does wiw iddo agor y Tŵr.'

'Ond sut mae dianc?' holodd Mic gan syllu ar y muriau moel, di-fwlch o'u cwmpas.

Daeth chwerthiniad isel o rywle ar y chwith iddynt, a llithrodd pen y neidr o'r cysgodion.

'Ssss . . . Ffordd hyn, sssffrindiau. Bargen . . . sssydi bargen. Ssss!'

Daeth sŵn crafu isel wrth i faen dirgel lithro o'r neilltu. A thrwy'r agoriad, fe dywynnai haul boliog, porffor mewn awyr yn frith o gymylau bygythiol.

Camodd pawb allan yn ddiolchgar. Trodd Stwmp i edrych yn ôl i'r gaer. Rhewodd. Roedd rhywun yn eu gwylio o'r cysgodion y tu mewn. Mastiff, meddyliodd yn chwyrn gan gau ei ddyrnau. Fe'u twyllodd unwaith eto. Fe guddiodd yn y gaer, nid dianc am y Tŵr. Cymerodd gam byrbwyll tua'r agoriad cyn ei atal ei hun yn sydyn. Nid Mastiff oedd yna . . . *ond Clem*!

Disgynnodd ei ên yn anghrediniol. Ie, Clem oedd yno. Ond roedd o'n gwenu'n faleisus arno, a'i lygaid yn pefrio'n goch o'r tywyllwch.

Coch! Trodd Stwmp yn gyffrous i alw ar Michelin. Ond yr eiliad honno, estynnodd Clem ei law at y maen, a'i wthio'n gyflym ar gau.

'Clem! Mi'i gwelais i o!'

Brasgamodd Michelin ato.

'Beth?'

'Clem! Roedd o yna. Yn edrych arna i. Ond fe gaeodd o'r maen.'

'Clem wedi cau'r maen? Paid â siarad ffwlbri,' rhuodd Michelin yn ffrwydrol. 'Dechrau ar dy gastiau dan din eto. Yyy?'

Rhoes hwyth egr i Stwmp a brysio at y mur. Pwysodd yma ac acw ar y maen gan regi o dan ei wynt.

'Microb ydi o. Mi welais i'i lygaid,' meddai Stwmp.

Fe wyddai nad oedd Michelin yn ei goelio. Ond roedd o'n siŵr o'r hyn a welodd. Microb oedd Clem!

Ciciodd Michelin y maen yn dymherus cyn troi i

lygadu Stwmp. Ond ni ddywedodd air. Dim ond troi ac amneidio ar y gweddill i'w ddilyn ar duth yn ôl at y ceffylau.

Ciledrychodd Stwmp ar Sandra. Roedd hi'n edrych ar Michelin, yna'n ôl arno yntau a'i thalcen yn grych amheus.

Brysiodd Stwmp ar ôl Michelin a'i holl osgo yn dangos ei fod wedi cael llond bol. Blydi Michelin! Blydi Sandra! Blydi pawb!

Trodd ysgwydd bwdlyd wrth i Sandra frysio at ei ochr.

'Wyt ti'n siŵr dy fod wedi gweld Clem?' holodd yn ddistaw.

'Pa ots gen ti?' holodd Stwmp yn swta. 'Rwyt ti'n amau hefyd, dwyt?'

Ochneidiodd Sandra.

'Nac ydw, siŵr. Ond . . .'

'Pam na choeli di fi, 'ta?'

'Ond . . . Clem o bawb! *Cyfaill* Michelin.'

'Cyfaill od,' poerodd Stwmp yn bwdlyd.

Daliai Sandra i edrych yn amheus.

'Rydw i'n ymladd dreigiau a nadredd, ond dydi hynny ddim digon gan 'run ohonoch chi. Uffern dân, Sandra. Rydw i'n trio 'ngorau i blesio pawb!'

Tuthiodd Sandra'n ddistaw wrth ei ochr am ychydig. Yna gafaelodd yn ei fraich a'i gwasgu.

'Mae'n rhaid iti drechu Mastiff, neu fedri di byth ennill. Rwyt ti'n dallt hynny, dwyt?'

Edrychodd ym myw llygaid Stwmp.

'Plîs, Meical. Er fy mwyn i.'

Er ei mwyn hi? Ond roedden nhw'n elynion gartref, doedden? Yn casáu ei gilydd. Llyschwaer ddiawl. Ond roedd hi'n edrych arno a meddalwch yn ei llygaid. Yna'n sydyn, plannodd gusan ysgafn ar ei foch.

'Hei . . .!'

Diflannodd y gair ar ei dafod a ffrydiodd teimlad rhyfedd trwyddo. Cynhesrwydd a . . . a . . . wyddai o ddim beth.

'Ia . . . wel . . . ymm!' baglodd.

Fe'i hachubwyd gan waedd sydyn.

'Y ceffylau! Maen nhw wedi mynd!'

13

Roedd y gilan rhwng y coed yn wag.

'Uffern dân!' melltithiodd Michelin o dan ei wynt. 'Mae'r Mastiff felltith 'na wedi eu dwyn.'

Caeodd ei ddyrnau'n wyllt, a martsio'n ôl ac ymlaen o dan y coed yn dymherus.

'Ond mi'i dalia i o,' sgyrnygodd.

Trodd i edrych ar Stwmp.

'Oeddet ti'n gwybod am hyn? Yyy?'

Gwylltiodd Stwmp yn ei dro.

'Nac oeddwn siŵr. Pam fy meio i?'

Gafaelodd Sandra yn ei fraich, ond ysgydwodd yntau hi ymaith yn bwdlyd.

'Does 'na ddim rydw i'n 'i wneud yn plesio, nac oes? Ol reit 'ta, mi ddilyna i Mastiff fy hun. Ac mi ga i afael ar y gyllell hefyd, heb help yr un ohonoch chi.'

Roedd hanner gwên watwarus ar wyneb Michelin pan edrychodd arno.

'Llai o glochdar, a mwy o gyflawni. Y chdi gollodd yr Arf . . . os colli hefyd.' Newidiodd ei lais. 'Ei roi . . . efallai?'

Camodd Sandra rhyngddynt.

'Nid bai Meical oedd colli'r Arf,' meddai. 'A waeth inni heb â dadlau. Rhaid atal Mastiff cyn iddo gyrraedd y Tŵr.'

'Does ond un ffordd,' meddai Michelin. 'Rhaid croesi Llyn y Breuddwydion. Mae'n beryglus, ond does ganddon ni ddim dewis. Os oes rhywun am ailfeddwl, wel . . . dyma'i gyfle.'

Trodd at Stwmp yn sydyn.

'Be amdanat ti?' heriodd.

'Rydw i'n dŵad,' oedd yr ateb penderfynol.

Rowliodd Mic lygaid gwamal tua'r awyr.

'Grêt,' meddai. 'Rydw i eisio peryglu 'mywyd ar y llyn 'na erstalwm.'

'A finnau hefyd,' ategodd ei frawd.

Gwenodd yn slei ar Stwmp a rhoi pwniad i'w frawd.

'Ac mi gaiff Stwmp ganu "Gee Geffyl Bach". Ddaw'r un perygl yn agos aton ni!'

'Twpsyn!'

Ond fedrai Stwmp ddim peidio â gwenu er bod ei galon yn drybowndio wrth feddwl am wynebu perygl arall.

Dilynasant Michelin gan deimlo fel pe baen nhw'n rhedeg mewn popty. Gorweddai'r cymylau duon yn isel uwchben. Chwaraeai mellt yn igam-ogam ohonynt, a rhwygai taranau byddarol yr aer crasboeth. Ac er i ambell ddiferyn anferth ddisgyn ar y glaswellt crin, gwrthodai'r cymylau ollwng dim o'u cynnwys.

'Rhaid croesi'r llyn cyn iddi nosi,' rhybuddiodd Michelin gan frysio ymlaen.

'Pam?' holodd Stwmp Sandra.

'Mi gei weld,' oedd yr ateb.

Wel, stwffia dy ateb, meddyliodd Stwmp yn flin. Dim ond gofyn oeddwn i.

Cynyddai'r gwres annioddefol wrth i'r haul suddo ar y gorwel, ac ymgasglai'r cymylau duon yn is uwchben. Lledaenai rhwd marwaidd tros y glaswellt cringoch, a chodai arogl pydredd yn gyfoglyd i'w ffroenau.

'Rhaid inni lwyddo,' sibrydodd Sandra. 'Mae'r microb yn difetha'r byd 'ma—a dy gorff dithau.'

Daethant at godiad tir ymhen ychydig, a chymryd seibiant i syllu ar y llyn a orweddai'n dawel ei wyneb yn y cwm oddi tanynt. Nid oedd modd ei osgoi; fe ofalai'r llethrau serth o boptu iddo am hynny.

'Dewch,' gorchmynnodd Michelin yn gras.

Rhwygodd mellten y cymylau a rhuodd taran yn union uwchben wrth iddynt gyrraedd y lan. Yn yr egwyl ddistaw a'u dilynodd, clywsant waedd egwan o'r tu ôl iddynt. Trodd pawb yn syn. Roedd rhywun yn marchogaeth yn araf tuag atynt. Cododd fraich lipa i alw arnynt.

'Clem!' meddai Michelin yn orfoleddus. 'Clem!' gwaeddodd wedyn.

Marchogai'n wargam araf tuag atynt a'i gorff bron â llithro o'r cyfrwy.

'Be ddiawl . . .?'

Rhuthrodd Michelin tuag ato.

'Clem! Clem! Be ddigwyddodd iti?'

'Drws . . . y g . . . ae . . . r yn . . . cau cyn imi . . . ddi . . . anc,' oedd yr ateb blinedig.

Trodd ei lygaid i gyfeiriad Stwmp.

'Roedd *o'n* gwybod.'

Miniogodd llygaid Michelin wrth iddo yntau edrych ar Stwmp.

'Oedd o wir? Dyna ystyr dy rwtsh stori di, debyg?'

'Ond . . . roedd hi'n wir . . .' cychwynnodd Stwmp.

Trodd Michelin yn ôl at Clem.

'Ond sut y gwnest ti ddianc? A ble cefaist ti'r ceffyl?'

Bradwr! Ateb hynna os medri di, meddyliodd Stwmp.

'Ymla . . . dd y . . . neidr. Ei . . . gorfodi i helpu. Crwydro'n rhydd . . . oedd y . . . ceffyl.'

Ni allai Stwmp atal ei hun rhagor.

'Microb ydi o. Mi welais i ei lygaid. Yn y gaer. Llygaid coch.'

Ond doedd neb am ei goelio. Doedden nhw ddim yn gwrando, hyd yn oed. Roedden nhw'n ffwsian ac yn ochneidio uwchben Clem, yn ei helpu oddi ar y ceffyl ac yn ei gynnal wedyn tua'r llyn. A doedd neb yn cymryd unrhyw sylw ohono fo, Stwmp.

'A ble mae ei glwyfau? Os gwnaeth o ymladd y neidr?' holodd Stwmp.

Edrychodd Clem arno am eiliad. Hanner gwenodd. Yna rowliodd ei lawes i fyny'n araf a dangos ôl brathiad chwyddedig a'r gwaed yn sychu'n gaenen dew arno.

Gwaed? Syllodd Stwmp yn anghrediniol. Gwaed gwyn 'ta gwaed du? Ni allai benderfynu.

Rhywsut, mynnai'r lliw newid o flaen ei lygaid. Wrth gwrs mai gwyn ydi o, penderfynodd. Na . . . du! Na . . . gwyn! Ond pam nad oedd neb arall yn sylwi? Twyll bradwr oedd y cyfan.

'Bodlon?'

Fflachiai cochni cudd yn ei lygaid wrth iddo edrych ar Stwmp. Brathodd yntau ei wefus yn fud. *Roedd* yna friw, doedd? Ond eto . . .

Trodd Michelin ato.

'Cau dithau dy geg, y sgempyn celwyddog.'

Rhoes ei fraich am Clem a'i helpu i gyfeiriad y llyn. Gorweddai cwch bychan wrth y lan a'i rwyfau'n gorffwys yn ddestlus ar ei waelod.

'Maen nhw'n ein disgwyl,' meddai Michelin.

'Pwy?' hisiodd Stwmp gan droi at Sandra.

'Y nhw. Breuddwydion,' oedd yr ateb swta.

'Breuddwydion? Ond sut gall breuddwydion ddisgwyl?' holodd Stwmp yn ddryslyd.

Ond nid atebodd Sandra. Cynorthwyodd Clem i'r cwch ac eistedd wrth ei ochr heb edrych yn ôl arno. Gafaelodd Michelin yn y rhwyfau. Camodd Stwmp i'r cwch yn anfodlon. Pa iws oedd holi a neb yn ateb? A phawb yn mynnu coelio Clem.

'Caewch eich llygaid,' gorchmynnodd Michelin, 'a'u cadw ar gau tra byddwn ni'n croesi'r llyn hefyd. Dallt?'

Ond sut roedden nhw am groesi'r llyn a neb yn gweld y ffordd, dyfalodd Stwmp. Beth petaen nhw'n rhwyfo mewn cylchoedd, heb sylweddoli?

'Ond . . .' cychwynnodd.

Roedd bysedd Sandra ar ei fraich.

'Ufuddha,' hisiodd yn ei glust. 'Os wyt ti eisio byw . . .'

Wrth gwrs ei fod o eisio byw. Ond fedrai o ddim gweld synnwyr mewn cau llygaid a rhwyfo 'mlaen heb weld i ble. Agorodd ei geg i ddadlau. Ond roedd llygaid Michelin arno a her amlwg ynddynt.

'Ufuddha neu aros ar ôl.'

Gwelodd lygaid maleisus Clem arno a'r llygedyn coch cuddiedig yn fflamio'n ddirgel yn eu dyfnder. Dyna roedd Clem ei eisio, ynte? Eisio iddo aros ar ôl a cholli'r cyfle i drechu Mastiff ac adennill ei gyllell. Yr Arf hwnnw a oedd mor bwysig yn y byd felltith yma. Eisteddodd a chau ei lygaid yn anfodlon.

Teimlodd blwc araf y cwch wrth i'r rhwyfau frathu'r dŵr. Daeth plwc ar ôl plwc arall tra eisteddai'n anfodlon mewn byd anweledig, a microb yn smalio bod yn un ohonyn nhw rywle wrth ei ochr. Beth petai o'n dymchwel y cwch? Neu'n chwarae rhyw dric arall arnyn nhw? A beth oedd peryglon Llyn y Breuddwydion?

Tawelodd y storm yn ddim uwchben. Roedd clustiau Stwmp yn effro i'r synau bychain anghyfarwydd o'i gwmpas. Llanwyd hwy gan wich gwynfanllyd y rhwyfau yn erbyn ochrau'r cwch, a'u plop ysgafn wedyn wrth iddynt daro'r dŵr. Clywai anadl trafferthus Michelin a siffrwd ei siwt roliog yn erbyn y sedd. A chlywai rywbeth arall hefyd. Clustfeiniodd nes roedd ei glustiau'n brifo.

Llamodd ei galon. Fe glywai sŵn traed. Cerdded prysur ar hyd coridorau concrit, a lleisiau'n parablu ar draws ei gilydd. Yr ysgol!

'Paid â chymryd sylw,' hisiodd Mac yn ei glust. 'Breuddwydion ydyn nhw.'

'Ond . . .'

Roedd o'n eu clywed. Fel petai yn eu canol. Roedden nhw *yno*! Agorodd ei lygaid yn falch. Diflannodd y llyn a'r dŵr a'r cwch. A'r criw a oedd gydag ef hefyd. Roedd o wedi gadael y byd coch, hunllefus a dychwelyd i'w fyd normal ei hun unwaith eto.

'Hwrê!'

Roedd popeth yn fyw o'i gwmpas. Dyma'r coridor . . . a'r criw disgyblion. Dacw Mastiff yn y pellter a'r gang gydag ef. A dacw Sandra'n gwenu'n glen ac yn amneidio arno i'w dilyn.

Roedd o'n cerdded y coridor yn eu canol nhw, a gwen Sandra'n ei ddenu ymlaen.

Nodiodd y nyrs gan wenu.

'Ia . . . chwaraewch y tapiau. Bydd synau cyfarwydd yr ysgol a'i ffrindiau yn siŵr o fod o help iddo.'

Pwysodd mam Meical yn ôl yn ei chadair yn flinedig a gwylio Sandra'n rhoi'r tâp yn y peiriant. Gafaelodd yn llaw ei gŵr a gwasgu . . . gwasgu wrth i'r synau cyntaf ddod ohono.

Sŵn cloch diwedd gwers a thraed prysur wedyn yn atseinio ar goridor concrit. Sŵn lleisiau'n parablu a galw a chwerthin. Yna,

'Haia, Stwmp! Brysia'n ôl, mêt!'

'Mae pawb yn disgwyl amdanat ti.'

Daeth chwibaniad edmygus.

'A Sandra hefyd. Dy chwaer yn bishyn, tydi?'

'Brysia, Stwmp. Mae'r bws ar gychwyn.'

Pwl o giglan.

'Pari bach wedi rhoi'i lwyth arferol o waith cartre.'

Yna clapio a chwibanu gwyllt, a sŵn chwerthin a chadw reiat wrth i'r disgyblion adael yr ysgol.

Roedd popeth yn fyw o'i gwmpas.

'Haia, Stwmp! Croeso'n ôl, mêt!'

'Mae pawb yn disgwyl amdanat ti.'

A chwibaniad edmygus.

'A Sandra hefyd. Dy chwaer yn bishyn, tydi?'

'Brysia, Stwmp. Mae'r bws ar gychwyn . . . cychwyn . . . cychwyn . . .'

Neidiodd Stwmp ar ei draed yn wyllt. Wnâi'r dreifar ddim disgwyl eiliad. Snichyn! Wrth ei fodd yn cychwyn ac yntau'n gweld rhywun yn dŵad. Roedd yn rhaid iddo frysio. Camodd ymlaen.

Daeth gwaedd sydyn rywle wrth ei ochr a theimlodd ddwylo'n gafael ynddo.

'Meical! Aros! Cau dy lygaid. Plîs!'

Pwy felltith oedd yn trio ei rwystro? Clem. Eisio iddo fo golli'r bws. Caeodd ei ddyrnau a phaffio'n wyllt. Mi'i lladda i o. Chaiff o ddim fy rhwystro. Rydw i'n mynd. Mynd. Mae'r bws ar gychwyn. Rhaid imi redeg i'w ddal.

'Meical! Aros! Paid â chamu o'r cwch.'

Llais Sandra. Wrth ei ochr. Ond pam roedd o'n ei gweld wrth ddrws y fynedfa? Roedd hi'n dal i wenu ac amneidio arno. Na, roedd hi'n chwifio'i braich. 'Tyrd,' gwaeddai. 'Tyrd, cyn iti golli'r bws. Brysia!'

Ond sut y gallai hi fod yno, ac yma wrth ei ochr hefyd? Ysgydwodd ei ben yn ddryslyd. Roedd yn rhaid iddo fynd ati, neu mi fyddai hithau wedi colli'r bws. Ac mi fyddai'i fam yn gandryll. Rhoi bai arno fo am fod ei lyschwaer wedi colli'r bws. Uffern dân! Roedd hi'n ddigon hen i ofalu amdani hi'i hun. Ond rhag cael storm gartref . . .! Ymladdodd ei ffordd ymlaen eto.

Baglodd wrth i rywun roi hwyth egr iddo. Llithrodd ei draed ar y llawr concrit a theimlodd ei hun yn disgyn . . . disgyn. Fflachiodd llygaid coch uwch ei ben. Yna'n rhyfedd, roedd o'n hanner swelpian mewn dŵr. Dŵr?

Gafaelodd dwylo cryfion ynddo a'i dynnu'n ôl. Gwegiai rhywbeth oddi tano, a chlywai sŵn slip slopian yn ei glustiau. Dŵr? Ond sut roedd yna ddŵr yng nghoridor yr ysgol?

Clywai'r lleisiau a'r gweiddi a'r chwerthin o'i gwmpas. Ond eto, roedd yna ddistawrwydd a gwres a drewdod byd pydredig hefyd—a gwegian ansad o dan ei draed.

'Cau dy lygaid, a phaid â symud.'

Llais Sandra eto. Fe gollodd hithau'r bws, felly. Ond . . . ufuddhaodd. Diflannodd y chwerthin a'r gweiddi, a diasbedain y traed ar wyneb concrit. Doedd dim ar ôl ond llithriad cwch ar wyneb y llyn a llais Sandra'n erfyn arno.

'Paid â chamu o'r cwch.'

Ffrwydrodd tymer trwyddo. Clem oedd achos popeth. Ceisio ei dwyllo er mwyn ei ddenu i'r dŵr. Ond fe glywodd y lleisiau. Do. Do. Do!

14

Roedd yn nosi pan drawodd y cwch yn erbyn y lan.

'Agorwch eich llygaid. Rydyn ni'n ddiogel rŵan,' meddai Michelin.

Doedd dim i'w weld ond cysgodion duon o'u cwmpas. Ond eto roedd yna arlliw gwyrdd ar bopeth. O gyfeiriad y llyn? Trodd Stwmp i syllu ar ei wyneb. Roedd golau gwyrdd yn crwydro ar wyneb y dŵr. Ac yn ei olau, fe welai ffigurau'n troi a chordeddu'n un gymysgfa fawr. Ffigurau cyfarwydd a godai hiraeth arno. Ei fam a'i lysdad, Sandra, ei ffrindiau ysgol, a Mastiff a'r gang. Ac roedd pob un yn galw arno.

'Tyrd. Tyrd. Yma mae dy fyd ti. Yma gyda ni, nid gyda microb a byddin wen a sôn twp am Arf yr arwr. Yma hefo ni.'

Petrusodd Stwmp ar y lan. Fe wyddai bod Sandra rywle wrth ei ochr, ond roedd hi acw, draw ar y llyn hefyd. A doedd o ddim yn deall sut y gallai hynny fod.

Trodd i edrych arni, ond roedd ei hwyneb yn gysgod annelwig yn y golau gwyrdd.

'Sandra?' sibrydodd yn ansicr.

'Paid ag edrych arnyn nhw. Nid rŵan ydi'r amser. Rhaid achub yr Arf gyntaf.'

Camodd Michelin rhyngddynt.

'Mi fuo jest iti â'i gwneud hi gynnau, on'do? Mi ddeudis i ddigon. Trio'n difetha unwaith eto oeddet ti? Yyyy?'

Fe wyddai Stwmp fod llaw Michelin ar ei ddagr tra poerai'r geiriau tuag ato.

'Mae'n rhyfedd fel mae pethau'n digwydd o dy gwmpas di, tydi?'

Roedd ei lais yn synfyfyriol oeraidd.

'Ac fel rwyt ti'n dŵad trwyddyn nhw'n ddianaf. Sut . . . 'sgwn i?'

'Be wn i . . .?' protestiodd Stwmp yn wyllt.

Yna brathodd ei anadl yn ei wddf wrth i fraich gyhyrog Michelin afael ynddo.

'Bihafia di dy hun . . . neu . . .' bygythiodd.

Gollyngodd Stwmp a throi at Mic a Mac.

'Gwyliwch o. Gofalwch na fydd dim misdimanars.'

Yna trodd at Clem.

'Wyt ti'n tebol i fynd ymlaen, Clem?'

'Wrth . . . gwrs fy mod i.'

Rhoes Clem ochenaid boenus wrth ddilyn Michelin.

Gosododd Mic a Mac eu hunain o boptu Stwmp a'i orfodi ymlaen.

'Rhaid gwylio Clem,' hisiodd Stwmp. 'Microb ydi o.'

Wfftiodd y ddau.

'Clem? Marchog gorau 'nhad? Ei gyfaill gorau?'

'Trio'n twyllo ni eto, mêt?'

'Dydw i 'rioed wedi'ch twyllo. Doeddwn i'n gwybod dim am ficrob na byddin wen cyn dŵad i'r byd 'ma. A pham fuaswn i'n dweud celwydd?'

Roedd yn rhy dywyll iddo weld wynebau'r ddau.

'Coeliwch fi. Plîs. Microb ydi o.'

Ddywedodd 'run o'r ddau air. Oedden nhw'n ailystyried?

'*Un* archoll oedd ganddo,' sylwodd Mac yn isel

o'r diwedd. 'Dydi hynny ddim llawer wedi ymladd hefo neidr, nac ydi?'

'Ond . . . Clem?' meddai Mic yn anghrediniol.

'Celwydd microb ydi'r cyfan,' mynnodd Stwmp. 'Disgwyl ei gyfle i'n bradychu ni mae o.'

'Mae o'n od,' meddai Mac.

Ond fe wyddai Stwmp fod y ddau'n ansicr. Ac roedd yn rhaid iddyn nhw ufuddhau i Michelin. Dyna pam roedden nhw'n closio'n dynnach ato ac yn ei orfodi ymlaen, heb ddweud gair.

Ond y fo oedd yn iawn. Fe welodd gochni yn llygaid Clem, a gwaed yn newid lliw hefyd. Llygaid microb, a gwaed bradwr. Gwasgodd ei law am ei bicell. Disgwyl ei gyfle roedd yntau hefyd. Disgwyl ei gyfle i ddinoethi microb.

Disgynasant yn araf o'r cwm gan ddilyn sŵn nant a lifai'n llesg rywle ar y dde iddynt. Rhythodd pawb i'r tywyllwch tra baglai eu traed yn y brwgais a'r mân dusŵau crin ar lawr y cwm.

Thwmp! Thwmp!

Sŵn pell oedd o i ddechrau. Yn rhy bell iddo gymryd llawer o sylw ohono.

THWMP! THWMP!

Roedd yna guriadau cyson yn rhywle yn y pellter. Curiadau a swniai'n nes ac yn nes wrth iddynt gyrraedd culni ceg y cwm. Yno safasant fel un. Roedd Tŵr wedi'i oleuo i'w weld yn y pellter. Taranai'r THWMP! THWMP! ohono. Ac roedd ffigur unig yn nesáu tuag ato. Mastiff!

15

'Mastiff!' sibrydodd Sandra rywle wrth law.

'Distaw,' chwyrnodd Michelin yn isel. 'Edrychwch.'

Roedd gwreichion tân rhyngddynt a'r Tŵr, a gwarchodwyr i'w gweld yng ngolau'r fflamau.

'Microb!' hisiodd Mic a Mac gan orfodi Stwmp i gyrcydu'n isel gyda hwy ar y glaswellt crin. 'A dim ond dau!'

'Ar f'ôl i,' gorchmynnodd Michelin yn isel.

Dilynodd pawb ef yn wyliadwrus a'u llygaid ar y goelcerth a'r gwylwyr. Poerodd Mic yn ddirmygus ddistaw.

'Chwinciad i'w trechu,' broliodd rhwng ei ddannedd. 'Barod, Stwmp?'

Nodiodd Stwmp yn y tywyllwch. Roedd Mastiff draw wrth y Tŵr, ac roedd o'n ysu am ei herio wyneb yn wyneb. Tynhaodd ei fysedd ar goes ei bicell.

'Ydw,' meddai'n bendant.

'Da iawn, chdi!' meddai Mic gan wasgu'i fraich. 'Triw bliw, mêt!'

Ond roedd amheuaeth cudd yn ei lais. Ac nid Mic a Mac roedd angen eu hargyhoeddi, ond Michelin.

THWMP! THWMP! Swniai'r curiadau'n drwm yn eu clustiau.

''Run smic,' hisiodd Michelin. 'I'r chwith heibio i'r tân. Nid rŵan mae ymladd.'

Trodd at Clem.

'Aros di yma,' sibrydodd. 'Rwyt ti wedi dy glwyfo'n barod.'

'Na. Hefo ti mae fy lle i,' oedd yr ateb gwan.

Derbyniodd Michelin ei eiriau heb ddadlau.

'Ymlaen,' gorchmynnodd.

Eisteddai'r ddau ficrob wrth y goelcerth, a'u harfau ar y gwelltglas wrth eu traed. Dilynodd pawb Michelin yn fintai ddistaw gan lithro ymlaen o droed i droed a'u nerfau'n tynhau'n annioddefol.

Yn sydyn, ffrwydrodd pobman yn lleisiau croch a sŵn arfau. Fflachiodd ffaglau newydd i'w dangos i'r gelyn. Ar amrantiad, roedd y ddau ficrob ar eu traed, a mintai arall yn rhuthro o'u cuddfan yn y cysgodion gan weiddi'n wyllt.

'Uffern dân! Mae haflug ohonyn nhw. I'r frwydr!' rhuodd Michelin gan ei daflu ei hun ymlaen.

Ond saethodd troed allan yn sydyn i'w faglu'n sypyn rholiog i'r llawr.

'Clem!' meddai Mac mewn llais anghrediniol.

Safai o'u blaenau. Nid dyn gwantan, clwyfus mohono bellach, ond microb a'i lygaid cochion yn pefrio'n fygythiol arnynt.

Rhuthrodd Mic a Mac ymlaen yn ddialgar. Ond neidiodd Michelin ar ei draed i wynebu Clem, a'i lais mawr yn rhuo uwch gweiddi'r microb.

'BRADWR! MICROB GYTHRAUL!'

Trawodd cleddyfau'r ddau'n ffyrnig.

'Tali-ho!' bloeddiodd Mac gan ei daflu ei hun at y microb agosaf.

'Tali-ho!' gwaeddodd Mic wrth ei sodlau.

Anelodd y gweddill o'r microb i'w hamgylchynu.

'Rhed, Meical,' gwaeddodd Sandra. 'Am y Tŵr.'

'Ond beth am . . .?'

'Paid â gwastraffu amser,' bloeddiodd Sandra. 'Atal di Mastiff, ac mi gwympith y microb yn ddim. CER!'

Trodd i wynebu dau ficrob. Petrusodd Stwmp am eiliad cyn ei hyrddio'i hun ymlaen i ymuno â hi yn y frwydr.

'Y . . . mwnci . . . gwirion!' ebychodd Sandra rhwng trawiadau. 'Wyt . . . ti eisio inni . . . farw . . . i gyd?'

Roedd wynebau'r microb yn fileinig yng ngolau'r fflamau. Trawodd Stwmp at yr agosaf ac ymfalchïodd wrth weld y gwaed du'n rhedeg ar ei wyneb.

'Cer!' gwaeddodd Sandra'n daer eto.

Gwelodd Stwmp ei gyfle. Am eiliad, doedd 'run microb rhyngddo a'r Tŵr. Rhuthrodd ymlaen. Roedd o trwodd! Cododd lleisiau'r microb yn waedd sydyn, wrth iddynt sylwi.

'RHED!'

Roedd gwaedd Sandra yn cyflymu'i sodlau. Rhuthrodd ymlaen a'i lygaid ar ffigur Mastiff wrth y Tŵr. Fyddai o mewn pryd?

'MASTIFF!' bloeddiodd.

Petrusodd Mastiff am eiliad ac edrych tros ei ysgwydd. Yna dechreuodd balfalu wrth y drws. Carlamodd Stwmp ymlaen. Llosgai pigyn annioddefol yn ei frest, ond roedd o'n benderfynol o gyrraedd ato.

THWMP! THWMP! Atseiniai'r curiadau yn ei glustiau. THWMP! THWMP! Rywsut, roedd y curiadau'n cadw amser â'i galon yntau. Fel petaen nhw'n *un*! Ymlaen. Ymlaen. Roedd yn rhaid iddo atal Mastiff cyn iddo agor y drws a gollwng y microb i mewn.

Trodd Mastiff i gipedrych arno eto cyn ailbalfalu wrth dwll y clo. Deallodd Stwmp. Y gyllell! Y gyllell oedd allwedd y Tŵr! Dyna pam y cipiwyd hi gan y microb. Rhuthrodd ymlaen.

'MASTIFF!'

Fe'i cyrhaeddodd. Ffrydiodd nerth dialgar trwyddo wrth iddo afael yn ei ysgwydd a'i droi'n sypyn i'w wynebu.

'Y fi biau'r gyllell. Tyrd â hi yma!'

'Arf yr Arwr!' chwarddodd Mastiff. 'Y chdi o bawb yn arwr! Llipryn gwantan!'

Gwenodd yn faleisus.

'Yr Arf ydi'r allwedd i d'amddiffynfa olaf. Y fi sydd wedi ennill wedyn. Am byth!'

Rhoes hwyth egr i Stwmp cyn palfalu eto gyda'r gyllell yn nhwll y clo.

'Uffern dân! Y gyllell felltith. Tro!' rhegodd ar dop ei lais.

Ond arhosai'r gyllell yn llipa farwaidd yn ei ddwylo. Neidiodd Stwmp amdani. Gafaelodd y ddau ynddi ar unwaith a'r naill yn ymdrechu i oresgyn y llall. Collodd Stwmp ei afael ynddi wrth iddo gael hwyth egr arall.

Trodd Mastiff ato a'i law ar ei gleddyf.

'Eisio ffeit? I'r eithaf?'

'Iawn,' meddai Stwmp.

Dyma'r prawf terfynol. Trechu Mastiff neu farw. Nid y fo'n unig, ond Mic a Mac, a Michelin a Sandra hefyd. Cryfhaodd ei benderfyniad. Doedd . . . o ddim . . . am . . . ildio. Byth!

'Paffio dyrnau?'

Gwenai Mastiff wrth ofyn. Y fo oedd y cryfaf a'r mwyaf medrus gyda'i ddyrnau yn yr ysgol.

'Iawn,' cytunodd Stwmp er bod ei galon yn suddo.

Ond doedd o ddim am ddangos ei ofn. Cododd ei ddyrnau'n barod. Symudodd Mastiff yn gylch o'i gwmpas a'i ddyrnau'n saethu i'w daro dro ar ôl tro. Yn fuan, roedd ei drwyn yn gwaedu ac un llygad wedi cau. Ond doedd o *ddim . . . am . . . ildio*!

'Arwr wyt ti?' wfftiodd Mastiff. Trawodd. 'Am feddiannu'r gyllell?' Trawodd.

Roedd anadl Stwmp yn llosgi'i ysgyfaint, yn poenydio'i ochr, yn baglu'n drafferthus. Ond . . . doedd . . . o ddim . . . am . . . ildio.

Ymddangosai wyneb Mastiff fel wyneb clown o'i flaen. Gwenai . . . ystumiai . . . chwarddai. Dawnsiai tuag ato ac o'i gyrraedd drachefn.

'Wedi . . . cael . . . digon?' holodd Mastiff gan daro at ei wyneb unwaith eto.

Er mwyn Sandra . . . er fy mwyn fy hun. Rhaid imi drechu Mastiff. Rhaid. Rhaid. Rhaid! Roedd y geiriau fel galarnad yn ei feddwl.

Rydw i'n licio Sandra. Rydw i'n licio'i thad hi. Dim ots fod Mam ac yntau wedi priodi. Rydw i eisio byw. Eisio trechu. Eisio mynd yn ôl atyn nhw!

THWMP! THWMP! Doedd y curiadau'n ddim ond synau pell yng nghlustiau Stwmp erbyn hyn. Baglodd yn ôl am y drws. Cyffyrddodd ei gefn â charn ei gyllell yn nhwll y clo. Ar amrantiad, ffrwydrodd glesni ohono. Glesni a roddodd nerth rhyfedd iddo yntau.

Yn sydyn, roedd o'n ymosod o ddifri. Anwybyddodd y gawod ergydion i'w wyneb a dyrnodd ymlaen ac ymlaen. Dwrn chwith . . . dwrn de, eto ac eto. Mastiff felltith. Châi o ddim ennill. Dim ots am fwlio'r ysgol, dim ots am fod yn aelod o'r gang, dim ots am fethu ras iâr wirion. Roedd o am orchfygu. Dyrnodd a dyrnodd, i geg, i lygaid, i wyneb nes y suddodd Mastiff ar ei liniau. Safodd uwch ei ben.

'Pwy 'di'r bòs rŵan?' holodd yn orfoleddus.

'Y . . . chdi,' ildiodd Mastiff yn egwan.

Ymlaciodd Stwmp am eiliad. Roedd o wedi ennill! Pwysodd yn ddiolchgar yn erbyn mur y Tŵr.

Yna'n sydyn a dirybudd, anelodd Mastiff gic egr at ei goesau.

'Y diawl dan din iti,' gwaeddodd Stwmp yn gandryll.

Yr eiliad nesaf roedden nhw'n rholio'n bentwr ffyrnig ar y llawr. Dyrnodd Mastiff ei wyneb, dyrnodd yntau'n ôl. Crafangiodd Mastiff i bwyso'n ddialgar arno, rhoes yntau hwyth iddo o'r neilltu. Y fo oedd ar y top, yna Mastiff, y fo eto. Roedd eu dyrnau a'u coesau'n dobio a chicio'n ddidrugaredd.

Yna gwelodd Stwmp ei gyfle. Anelodd am ên Mastiff. Dyrnodd â'i holl egni. Ebychodd wrth deimlo ysgytwad y trawiad yn ysu'i fraich, a gwyliodd yn anghrediniol wrth i Mastiff suddo'n llipryn anymwybodol i'r llawr.

Cododd yn ansad gan rwbio'r chwys o'i lygaid. Deuai sŵn ymladd gwyllt o gyfeiriad y tân o hyd. Ond y gyllell oedd yn bwysig, meddai Sandra. Byddai'n rhaid iddo drechu Mastiff cyn iddo agor y Tŵr i'r microb, a byddai'n rhaid iddo adennill ei gyllell, er mwyn ei achub ei hun o'r byd coch, hunllefus yma. Sandra ddywedodd. Ac yn awr, roedd o wedi cyflawni'r cyfan.

Llanwodd gorfoledd ef wrth iddo edrych ar gorff llonydd Mastiff. Fe'i trechodd. Cymerodd anadl ddofn a throi at ddrws y Tŵr. Gafaelodd yn ei gyllell a'i thynnu o dwll y clo. Arf yr Arwr. Oedd o, Stwmp, yn arwr, tybed? Syllodd arni a gwywodd ei churiadau gleision yn ddim yn ei ddwylo. Fe deimlai fel concwerwr y funud honno. Pocedodd hi a throi i frysio at ei ffrindiau.

Ond roedd niwl rhyngddo ef a nhw. Niwl a gordeddai'n llinynnau lluosog trwchus i guddio popeth oddi wrtho. Doedd dim i'w weld bellach. Dim tân, dim brwydr, dim microb. A dim ffrindiau chwaith. Rhwbiodd y chwys o'i lygaid eto er mwyn llygadrythu trwyddo. Dim.

Ond rywle yng nghrombil y niwl fe glywai leisiau darfodedig Mic a Mac.

'Triw bliw, mêt! Triw bliw!'

Yna toddodd y cyfan yn ddim ac ymladdodd ei ffordd o ryw ddyfnder gwlanog. Gwelodd furiau gwynion a wynebau poenus yn arnofio o flaen ei lygaid. Roedd bag plastig uwch ei ben a diferion yn drip dripian yn araf ohono. Ble'r oedd o?

Agorodd lygaid trymion eto. Lleisiau . . . wynebau . . . gwely caled oddi tano . . . peipiau o'i gwmpas . . . ei gorff yn llipa lonydd. Yna roedd wynebau ei fam a'i lysdad uwch ei ben a . . . Sandra!

Ceisiodd symud ei wefusau sychion. Roedd o eisio dweud wrthi. Mi lwyddais, do? Hefo dy help di. Ond, wrth gwrs, roedd hi'n gwybod.

'Croeso'n ôl, Meical!'

Ceisiodd wenu. Ond fedrai o ddim. Roedd o'n suddo i ddyfnder cwsg unwaith eto. Ond roedd o eisio . . . dweud . . . wrth . . . Sandra. Am hunllef goch, a microb a byddin wen a Michelin a . . . a . . .

'Sand . . .'

Gafaelodd hithau yn ei law, a'i gwasgu. Yna plygodd i roi cusan fel pluen ar ei foch, cyn ymsythu'n wen i gyd a *wincio* arno! Cyfrinach, meddai ei llygaid. Ond pa gyfrinach? Fedrai o ddim cofio.

Doedd dim ots. Roedd Sandra ac yntau'n ffrindiau. Yn ffrindiau go iawn, a'r gusan yn dal yn gynnes ar ei foch! Gwenodd, a'i fysedd yn tynhau am ei rhai hi.

Coch yw lliw hunllef, meddyliodd yn freuddwydiol. Coch. Llithrodd y cyfan yn ddim yn ei feddwl, wrth iddo syrthio i gwsg braf, esmwyth, a'i fysedd fel gelen am law Sandra.